美術館を語る

東京造形大学附属美術館［監修］
藤井匡［編集］

〈もくじ〉

第三章　地域とともにある　121

第四章　歴史をつなぐ　171

第一章

展覧会をつくる

サブカルチャーの夢美術館と呼ばれて…

浅沼 塁

八王子市夢美術館の特別展

八王子市美術館学芸員の淺沼塁です。東京造形大学美術学科比較造形専攻造形振興コースを一九九八年に卒業した後、画廊勤務を経て、二〇〇三年から八王子市夢美術館の学芸員をしています。これまで手掛けた展覧会は四十本以上になります。アニメーションやマンガの展覧会が多いですね。それ以外にも、「坂本一成住宅めぐり」や「戦後日本住宅伝説」などの建築展もありますし、八王子市ゆかりの作家である洋画家の鈴木信太郎や版画家の城所祥の回顧展も担当しています。

八王子市美術館の特別展は主に三つのテーマに沿って開催しています。①内外の優れた美術品の紹介、②現代の息吹と未来への展望、③地域性と普遍性です。①は主に国内外の知名度のある画家の作品展で、近代洋画や日本画、浮世絵、陶磁器など。美術館の展覧会のスタンダードなところが入ります。②に入るのがアニメーションやマンガ、絵本や玩具、現代建築など。他の美術館であれば、ここに現代アートが入ってくると思いますが、夢美術館ではサブカルチャーや建築などの展覧会になっています。③が八王子ゆかりの作家ですね。収蔵をしている作家の展覧会や市民の公募展などがあります。

特別展の特徴としては、まず、ジャンルの幅がかなり広いということが挙げられます。それはひとつのジャンルの展覧会で、男女問わず、子どもからお年寄りまでのすべてから集客を見込めるものは稀だからです。そのために、年間六本の特別展をそれぞれターゲットとなる層を想定しながら開催をしています。年に一度は来館してもらえるようにバランスをとっているわけです。

次に、アニメーションやマンガなど、いわゆるサブカルチャー分野の展覧会が多いということがあります。理由は、美術ファン以外の客層の取り込みを図るということにあります。いわゆる美術ファンというのはある程度限られてくるので、それ以外の人たちのことも考えています。建築の展覧会も同じ考え方ですね。美術大学と比較すれば、工学部の建築系の学生数は圧倒的に多いですし、建築従事者もたくさんいますので、そういう人たちにも来館いただきたいと考えています。

アニメーションやマンガに関しては、この分野を早くから扱ってきたパイオニアということもあります。いまさらやめられない（笑）。ウィキペディアで八王子市夢美術館を検索すると、アニメーションやマンガを多く取り上げてきた美術館と記載されています。そのように見られていることに対して、期待に応えなければと思ってきました。

アニメーション作家の展覧会から出発する

八王子市夢美術館のアニメ・マンガ展の内、私が担当したのは十二本です。他の学芸員が担当したものも三本くらいありますので、実際にはもう少し行っています。今日は分岐点になった展覧会をピックアップしてお話しします。

「不思議ワールド山村浩二アニメーション展」は二〇〇四年の七月から九月に行いました。開館が二〇〇三年十月ですから、一年も経たない内にアニメーションの展覧会をやっている。山村浩二さんは私が以前画廊に勤めていたときに個展を担当したことがありました。

山村さんは個人のアニメーション作家として活動されています。アニメーション業界というのは、山村さんのように個人で作家としてやっている方と、商業アニメに大別されます。ちなみに個人でやっているアニメーション作家は日本アニメーション協会、商業アニメの方は日本動画協会に入っていることが多いと思います。個人作家の場合、コマとなる絵などを手で描いたり、つくったりするところから、だいたい一人ですべてやっています。そのために短編アニメーションが多くなる。ただ、手でつくっているがゆえに、それ自体を単独で見ても、美術館の美術展の作品として見ることのできるものともいえます。

本展はタイミングとしてもよかった。「頭山」がアメリカのアカデミー賞の短編アニメーション部門にノミネートされたのが新聞に載ったことで話題性があり、山村さんは東京造形大学（八王子市）の卒業生ということで、地元ゆかりの作家として紹介できるということもありました。来館者は五九八六人と六千人近く入って、非常に好評な展覧会でした。展示したのはアニメーションのコマを分解したものや、パラパラマンガやゾートロープなど。アニメーション作家の場合、動きに対しての興味を強くもっていますので、それが感じられる展示方法を作家と考えて、複数枚のコマを連続的につなぐような展示をメインに据えました。

二〇〇五年の「たむらしげるの世界展」も、アニメーション作家で、イラストレーターで、マンガ家でもある作家を取り上げました。山村さんにしても、たむらさんにしても、美術館でやっても違和感がない作家を最初の頃は選んでいます。たむらさんは、生まれは違うのですが、幼少期から青年期までを八王子市の片倉ですごしている八王子ゆかりの作家でもあります。来館者は五八四一人でした。

原画を展示することには理由がある

二〇〇六年の七月から九月に行った「安彦良和原画展」は初の商業アニメ・マンガ展です。「機動戦士ガンダム」のキャラクターデザインをされた方ですね。安彦さんはサンライズというテレビ向けのロボットアニメーションの制作を主に行っている会社で、キャラクターのデザインを担当していたアニメーターでした。その後、マンガ家になります。安彦さんのマンガは歴史を扱ったものが多いですが、今の学生たちが知っているとすれば、「ガンダムオリジン」という、ファーストガンダムをもう一度マンガにしたものでしょうか。この二〇〇六年はまだ連載中でした。

アニメーションは最終的には映像になるし、マンガは最終的には印刷物になる。原画はその元になるものですので、中間素材なわけです。しかし安彦さんの場合、ひとつの絵として、色彩も筆致も決して手を抜かない。ある意味、印刷すると失われてしまうかのような情報量が原画に含まれているともいえます。普通、こうした原画は映像やマンガになったら不要とされるものです。水木しげるさんの原稿が捨ててあったという有名な話がありますが、そういうものなのですね。でも、安彦さんは自分の絵に対して非常にこだわりがあるので、自分の手元にたくさん残していた。それで、こうした原画展が開催できたわけです。この原画自体が美術品と考えてもおかしくない完成度をもっていたので、原画だけで展覧会になると思いました。

来館者数は九〇六一人と普段よりはるかに多い人数が入りました。この頃からアニメ・マンガで展覧会をすると人が入ることが美術館の上層部にも理解されるようになりました。夏休みってどこの美術館でも人が入らないのです。それで、子ども向けのワークショップをやったり、現代アートの展覧会をやったりしますよね。そうした事情もあって、まだ「夏の開催ならいいよ」という感じでした。

二〇〇七年の「ますむらひろしの世界展」。同じマンガでも、あまりメインではない方に振ってみようということで企画しました。「銀河鉄道の夜」で猫を擬人化したキャラクターが出てくるアニメがありますが、あの原作者ですね。宮沢賢治の影響を強く受けた人で、その部分は展覧会の切り口として意識しました。「銀河鉄道の夜」は当時の文部省の選定映画になっていますし、ファンタジーの世界なので男性だけでなく女性にも興味をもってもらえると思いました。それから、通信教育のZ会の付録だったマンガも担当していましたので、来館者の幅もある程度は見込めるのではないかと。私もファンだったということも少しはありますが（笑）。来館者は七六六一人と思っていたより入りました。

ますむらさんは実際の本よりも大きい原稿をつくるのですね。それを縮小して本にされるという特徴がありますので、大きな原画をきちんと見せる必然性があると思いました。ちなみに、原稿はすべて先生がもっておられました。会場全体がかなりカラフルな感じの展覧会になりましたが、実はその着彩のすべてが奥様の手によるものだったことがはじめて展覧会で判明しました。

商業アニメの展覧会へと展開

二〇〇八年の「タツノコプロの世界展」。これまでは個人にフォーカスしていましたが、商業アニメ・マンガの扉を開けましたので、次は面白いことをやっているプロダクションに焦点をあててみようということになりました。タツノコプロはキャラクター設定からなにからすべてオリジナルでやることを最初から行っていましたので、それを紹介すべきだと思いました。この時代のアニメの大半は、すでにあるマンガなどを原作に使ってアニメを制作するのがスタンダードな手法でしたので。

「ガッチャマン」、「みなしごハッチ」、「キャシャーン」、「ヤッターマン」などタツノコプロはギャグマンガからメルヘン、リアル・ヒーローまでやっているところがすごい。当時のタツノコプロは、資料が地下の倉庫に段ボールで山積みになっているような状態で、当初は「整理してくれるの？　ありがとう！」みたいな感じといいますか、二〇〇八年頃はまだアニメーション制作会社に展覧会の話をもってゆくとキョトンとされていました。そういう意味では当館はパイオニアだったと思います。

プロダクションでの商業アニメは集団作業なので、作家性の出るものではありません。基本的に、例えばキャラクターも原案はともかく同じ人がずっとそれを描いているわけではないですので、セル画なども含めて、希少な価値をもった美術品というよりも、博物学的な視点で資料価値のあるものとして成り立つのではないかと思いました。とにかく、点数も多かったので選定が大変でした。まだ、こんなに残っているのかという感想が来館者の方からは多かったですね。来館者は九七二四人も入りました。

二〇〇九年の「大河原邦男のメカデザイン」。プロダクションの展覧会をやってみると、背景専門の人とか、キャラクター専門の人とか、分業で制作していることが見えてきました。大河原さんは東京造形大学の一期生で、グラフィック・デザインで入学して、テキスタイル・デザインで卒業しています。その後、タツノコプロでメカを専門に担当することになります。代表作はガンダム、ヤッターワン、装甲騎兵ボトムズなど。大河原さん自身は絵を描くのは好きではないと言っていて（笑）、立体物をつくる方が好きだそうです。ザクやガンダムといったモビルスーツは、富野由悠季監督と話し合いながらですが、大半は大河原さんのアイデアです。来館者も一〇五五一人という当時の新記録が出ました。

この人の凄いところは、ギャグマンガのメカからリアルロボットのメカまで手がけるところですね。笑えるメカにするにはディフォルメしたキャラクターの形にたくさんリベットを打てばよいとか、ザクのデザインも戦車の鉄の塊のイメージからつくられたとか。そうした想像の幅も展覧会では見せたいと思いました。タツノコプロ以外では、ロボットアニメを多数手がけていたサンライズの仕事が多いですね。

ロボットアニメでは、玩具メーカーと組んで例えば「超合金（ダイキャスト製キャラクター玩具）」をつくりますが、メーカーの意向でアニメーションの方が変わったりもします。この時代は玩具メーカーがアニメのスポンサーになっていました。スポンサーと一緒になってアニメがつくられていたのは、見ている方はなかなか気づかないのですが、そうした理由であのかたちがつくられているとか考えるのも面白いです。

展覧会のかたちを改めて考える

二〇一〇年の「押井守と映像の魔術師たち」。これまで取り上げた展覧会では、作家が自分で絵を描いているのですが、押井さんの場合は監督なので絵コンテまでしか描かない。これまでは、美術鑑賞に耐えうるものを中心に選定してきたのですが、それがまったく異なります。また、押井さんは自身のヴィジョンがはっきりしている人で、作家とのコラボレーションのような感じで展覧会をつくったのが実際のところです。たぶん押井さんにしかわからないような資料について「これはもって行かないの？」と言われ渡されることも多かったですね。

展示したのは「スカイ・クロラ」、「機動警察パトレイバー」、「イノセンス」、「攻殻機動隊」などのアニメ作品ですが、実写作品もあります。犬のタペストリーとかもちこまれて、会場が犬だらけになってしまって（笑）。スタッフが鉛筆で描いているスケッチを展示したほかにも、押井さんがスタッフに自分のイメージを伝えるための素材も展示しました。それが犬だったり、人形だったり。あとはロケハンでたくさん撮った写真。「アヴァロン」という実写素材を使った映画などは、ポーランドで撮った写真を元にしてイメージづくりもしたようです。

これまで、私は美術作品でないものも美術展に近づける方向で考えていましたが、押井さんの展覧会はそうではないかたちになりました。この手法で映画も美術館で展示できるかもしれないという錯覚に陥りましたね。「あの押井守が展覧会をやるのだったら、どんな内容でも見に行こう」といったお客様も多かったかと思いますが、九三一二人も入りました。こういうかたちでも展覧会が成り立つとわかったのは参考になりました。

二〇一二年の「加藤久仁生展」は、これまでと異なるアニメーション展示の方法になっています。加藤さんは多摩美術大学(八王子市)の出身ですが、アメリカのアカデミー賞の短編アニメーション賞を日本ではじめて受賞して、大きな話題になりました。ロボットというCMや映画をつくっている会社にも所属しながら、こうしたアニメーションをつくっていました。

この展覧会は新聞社の文化事業部にいた方にもちかけられたものです。その方がアニメーションの展示をやったことがなかったようで、うちに話がきたのですね。これを巡回させるのだけれども、ということで。ですので、主に作家インタビューなどアニメーションの専門性にかかわる部分を相談にのる形で私が担当し、その方が出品作品や会場設計などを作家とやり取りしながら決めることになりました。フライヤーのデザインは祖父江慎さんです。

展示はこれまでとはずいぶんと変わりました[図1]。一見スカスカにも見えるのですが、これはある意味加藤さんのタッチが繊細で淡いところや余白を大事にしているところからきていると思います。若い作家で、たくさんの作品があるわけでもないこともあって、「雰囲気で見せる」展示になったといいますか。什器は武蔵野美術大学教授の小泉誠さんがデザインしたもので、積み木のイメージですね。「つみきのいえ」という作品がアカデミー賞を受賞していますから。木の什器の間から原画がパラパラと見える感じで、お客さんが動いてゆくにつれて会場の見え方も変化するように設計されています。什器の配置を軸に会場を構成する意識が私にはあまりなくて、この会場デザインは面白かったですね。

図1「加藤久仁生展」展示風景

それと、どういう順番で見ても大丈夫な会場構成になっています。もちろん、作品番号や説明はありますが、ひとつひとつにキャプションがしっかりついている状態ではない。見にきた人に発見してもらうという方法ですね。動線らしきものはあるのだけれども自由度も高い。作品の数としては少ないのですが、それでも、加藤久仁生の世界を体感できる展示になっている。知識としてわかってもらうのではなく、展覧会を体感してもらうところが、これまでの私の展覧会の発想とは少しちがいました。自分としても気に入っている展覧会です。来館者は七二三〇人で、二月から三月の展覧会としてはかなり入っている。この頃になると、七月や八月にやらなくてもよくなりましたし、一年に二本とか三本入れても何も言われなくなりました。

展覧会の続編をつくる

二〇一二年の「たむらしげるの世界展Ⅱ」は、以前に行った展覧会の続編です。展覧会が好評だった場合、続編ができるものはやればよいという考え方です。美術館業界は同じ作家の展覧会をやりたがらない傾向にありますね。でも、映画でも続編をつくりますし、お客さんにとっては関係ない話ではないかと思います。このときは、イラストレーションやアニメーションで前回は取り上げられなかったものを展示しましたが、まったく同じ展示をもう一度やってもよいとすら今では考えています。例えば、音楽のコンサートでは、お客さんは毎回同じ歌でも聞きたいわけですよね。「あの展覧会をもう一回見たいよね」という声に応えることがあってもよいと思います。

展示としては、作家の静かな熱意が伝わってくる感じで、作品数もかなり出してくれました。地元ゆかり作家ですので、来館者数が云々ということではなく将来的にはまた開催することもあるかと思います。また、たむらさんの収蔵作品は無いのですが、続編をすることである意味ます。作家を収蔵するといいますか、展覧会を収蔵するという考え方に発展しても面白いと思っています。

二〇一六年の「ますむらひろしの北斎展」も続編です。前回展ではあまり紹介できなかったのですが、ますむらさん自身が北斎を模写していて、そこに自分のキャラクターを挿入する作品をつくっています。この模写にはますむらさんの北斎作品に対する文が添えられていて絵と文で綴る北斎論として見ることができる。作家から見た北斎研究という意味で非常に面白いと思い開催しました。

ちなみに来館者数は「たむらしげるの世界展Ⅱ」は四二三六人、「ますむらひろしの北斎展」が七一三四人と、続編だからといってそれほど来館者の落ち込みがないこともわかりました。

さらなる機軸を求めて

二〇一七年の「こえだちゃんの世界展」は商業玩具の展覧会です［図2］。アート的な要素を持った玩具展は以前に東京造形大学名誉教授の春日明夫先生のコレクションを展示したことがありますが、発想はアニメーションの場合と同じで、山村さんや加藤さんのようなアートに近いアニメーションに対して商業アニメがある。玩具も同じです。また、商業玩具の展覧会は美術展としてはほとんど行われてきていませんでした。ひとつの玩具にフォーカスして、その歴史をきちんと整理するというのはなかったと思います。

この頃になると、もうアニメーションやマンガの展覧会をほかの美術館でもどんどんやるようになってきました。アニメ・マンガの展覧会が普通になってきて、当館の特色ではなくなってきたのです。新機軸を出していかなければいけないと考えたときに、まだ手のつけられていない大きなフィールドとして商業玩具があったわけです。

図2「こえだちゃんの世界展」展示風景

「こえだちゃん」は一九七〇年代後半に登場するおもちゃで、女児玩具の得意なタカラ（現在は合併してタカラトミー）が発売したものです。タカラさんの社風かもしれませんが、歴代の「こえだちゃん」のうち、古いところが全然残っていない。それをオークションなどでかき集めるのに苦労がありました。ちなみにタカラさんは「後ろは振り返らない」という社風で（笑）。逆に合併したトミーさんの方はミニカーやプラレールをきちんと残しているようなのですが。

お母さん世代のお客さんが多いと思い、会場に遊べるコーナーを設けています。子どもたちをそこで遊ばせておいて、お母さんたちが展覧会を見られるように考えました。こうした女性向けの展覧会は今後増やしていければと思っています。うちは担当者が男性なので、男性向けの企画になりがちでしたから。来館者数も八五五〇人と初めての商業玩具展として次につながる結果となりました。

二〇一八年の「王立宇宙軍オネアミスの翼展」［図3］。ここではアニメ作品そのものにフォーカスしました。一九八〇年代には、「風の谷のナウシカ」や「天空の城ラピュタ」、少し遅れて「機動警察パトレイバー」が出てくる。アニメーション映画の全盛期で、名作と呼ばれる作品が集中している時代です。このSFアニメ映画では、作品のためにアニメーション会社をつくってしまった。それがガイナックスです。

当時、大阪芸術大学出身の山賀博之さんや庵野秀明さんらかなり若手メンバーが中心でした。地元八王子の東京造形大学出身者では貞本義行さん。以前からこれは誰かが展覧会として取り上げなければいけないだろうと思っていました。そして、誰もやらないのだったら、自分でやらなければと思って（笑）。

図3「王立宇宙軍 オネアミスの翼展」展示風景

オネアミス王国という架空の国が舞台ですが、そこの言語、音楽、建築、プロダクト、ファッションなどをすべて一からつくっています。残されている膨大な資料を物量で圧倒するような展示をコンセプトにし、ひとつの世界をつくるには、どれだけの作業量が必要かというのを物量で見せることを意図しました。全体で千五百枚くらいですが、それらを分類して選定する作業が大変でした。実はその中に当時の八王子の街をモデルにした設定資料もあったことが後に判明しました。

来館者数はあまり期待していませんでしたが、八四七〇人でした。この作品を当時観た人は現在の四十歳代から五十歳代の男性がほとんどだと思います。展覧会の来場者も男性が圧倒的に多かった。一番の成果は、これまでターゲットとして考えてこなかったお父さん層を取り込めたことですね。

アニメーションやマンガは、これからも美術館における展覧会の重要なジャンルの一つになってくると思います。展覧会としてはまだ発展段階といえますが、今後は展示の方法論なども積み上がり、この分野のスタンダードな展覧会の形が見えてくるのではないかと思っています。

展覧会の実務から思考する——自主企画から美術館、芸術祭まで

水田紗弥子

私は二〇〇四年に東京造形大学の比較造形専攻を卒業しました。いわゆる学芸員でもなく、フリーランスで働くキュレーターです。二〇一四年に自分の会社をたちあげて、主に企業や地方自治体などから美術の展覧会の企画や運営を請け負って仕事をしています。もちろんそのなかで自主企画の展覧会も細々と続けています。会社を立ち上げる以前には森美術館で一年ほどアシスタントをしている修行時代があったり、芸術祭の事務局で働いたりなど、さまざまな場で展覧会やアート・プロジェクトに携わってきました。基本的には現代アートと呼ばれる、生きているアーティストの作品を扱う仕事をメインに行っています。特定のジャンルは無いので、絵画、彫刻だけでなく幅広いメディアを使ったアーティストと仕事をします。美術館のなかで学芸員の方が行う業務を個人で請け負っているようなイメージがわかりやすいかもしれません。

学芸員の仕事が多岐に亘るように、私の業務も幅広いのですが詳細は後述します。

これまで、手弁当の展覧会から美術館の展覧会まで幅広く携わってきました。「展覧会とはなにか」ということが自分の大きな問いとしてあり、実践のかたわら、さまざまな展覧会について調べてもいます。本稿では自分が携わってきた展覧会を紹介しつつ、展覧会の可能性と共に膨大な実務があるということも提示できたらと思います。

自主企画の展覧会

二〇〇六年に武蔵野美術大学の大学院を修了した後、トーキョーワンダーサイトという東京都の外郭団体（歴史文化財団）の施設で働きはじめました。ここで若いアーティストと一緒に展覧会をつくる仕事をしたり、アーティスト・イン・レジデンス事業に携わり海外のアーティストやキュレーターなどの仕事も間近で知ることができました。展覧会マニュアルもなく全て手探りだったのですが、同世代のアーティストと仕事やプライベートを通じてたくさん語らったことが、今も大きな財産になっています。また振り返ってみると、展覧会の企画公募の担当になったこともあり「展覧会とはなにか」という問いにたくさん触れたことがきっかけで、作品を見せる場づくりへの興味が強くなったということもあります。

　この施設を退職したあと、アーティストたちとたくさんの展覧会を行いました。最初にアーティストの工藤春香さんからお声がけいただき共同企画で展覧会をすることになりました。東京の江戸川橋にある銭湯の二階のマッサージ施設が空いているということを聞きつけ、一階はまだ営業中の銭湯だったのですが、そこの番頭のおじさんに「展示に使わせてほしい」と直談判し、なぜか快諾されました。アーティストと一緒に壁を立て、会場を掃除して、初めて助成金をとり、デザイナーに頼んでフライヤーを作成し、ウェブを作成し、展覧会のゼロから百まで汗をかいて行いました。東京都の団体で働いていた時は会場ありき予算ありきで展覧会を行なっていたので、お金集めから始めたこの展覧会「柔らかな器―感覚の境目を行き来する六人の作家」［図1］は非常に勉強になりました。

図1「柔らかな器―感覚の境目を行き来する６人の作家」2009年、展示風景
会場：松の湯二階（新宿区山吹町）、
参加アーティスト：工藤春香、黒野裕一郎、塩川彩生、塩谷良太、しんぞう、平川正

　ここで味をしめてというのか、とり憑かれてというのか、さまざまな自主企画の展覧会を行いました。ギャラリーやオルタナティブ・スペースをはじめとして、古本屋や洋服屋などでも行いました。会場を無償で提供してもらったり、助成金を獲得したり、展覧会の企画コンペで入選し広い会

図2「入る旅人 出る旅人vol.3 マイナー部屋へ」
2012年、展示風景
撮影：椎木静寧
会場：路地と人（神保町、東京）
参加アーティスト：秋山幸、清水悟

場で展覧会も行いました。会場に合わせて、場所の意味や性質に合った展覧会を、アーティストと議論をしながらつくる面白さがありました。オルタナティブ・スペース「路地と人」で展覧会「入る旅人 出る旅人—マイナー部屋へ」〔図2〕を開催したときは、アーティストの思考回路がわかるようなドローイング作品と共に、使っている道具も展示したいと意気込んだのですが、逆にアーティストたちにそれならばキュレーターの頭の中がわかるように部屋を移動させればいいじゃないかと逆襲されてしまい、部屋の道具や自宅の書籍まで一切合財持っていくことになってしまいました。この展示ではお客さんにコーヒーを出して語らったり、朝食会をしたり、迷路のような会場で出会う人たちと語らったり、と他にはない場所を作り出せたと思います。展覧会を行う会場はひとつひとつは小さいので、いろいろな会場をめぐってひとつの展覧会が頭のなかで完成するようなシリーズ企画にしたこともあります。

それらのことを総覧したような展覧会がアサヒ・アートスクエアで入選した企画「Alterspace

図3「Alterspace—変化する、仮設のアート・スペース」2014年、展示風景
撮影：椎木静寧
会場：アサヒ・アートスクエア

—変化する、仮設のアート・スペース」です。一ヶ月間、仮設のアート・スペースが会場をジャックするというもので、展覧会あり、ワークショップあり、トークイベントやライブがあり、日替わりの展示内展覧会も行い、毎日なにか起きるという企画でした［図3］。たくさんの人に関わってもらい、特定の場を持たなくても、仮住まいのように寄生しながらアート・プロジェクトをやろうという実験のみで突っ走った企画でした。

美術館で学んだ展覧会のつくり方

さて、アーティストと半ば遊びながら、しかし真剣に隙あらば展覧会をつくっていた頃、森美術館で勤務する友人に誘われて一年間だけ学芸のアシスタントをすることになりました。軽い気持ちで飛び込んだのですが、展覧会の準備や役割、タイムラインが明確でこれまでやってきたことが整理されていく感覚がありました。またこの時期に二冊の展覧会メソッドをまとめた書籍が出版され、事あるごとに読み返し、今やっているのはこの仕事だ！と確認しながら進めることができたのも大きな収穫でした。エイドリアン・ジョージ著『THE CURATOR'S HANDBOOK—美術館、ギャラリー、インディペンデント・スペースでの展覧会のつくり方』と難波祐子『現代美術キュレーター・ハンドブック』は今もすぐに手にとれる場所に置いてあります。難波さんの書籍によると、展覧会のプロセスは以下のようにまとめられます[註1]。1：出品作品、作家の決定、2：会場構成、3：広報物の準備、4：作品集荷・輸送、5：会場設営・展示、6：内覧会、展覧会オープン、7：関連イベントの開催、8：カタログ制作、9：撤収、作品返却、があり、予算管理を並行して行います。本にはありませんが、付け加えるならさらに、0：調査研究、リサーチ、0・5：企画内容の決定というプロセスもあります。このように俯瞰すると全てをキュレーターが行うわけではないのですが、企画を理解しているキュレーターが全てに関わらないといけないということがあると思います。

上述のプロセスをもとに、森美術館で携わった「MAMプロジェクト021：メルヴィン・モティ」展の実務について順を追って説明してみます。「MAMプロジェクト」は森美術館のメインの展覧会とは別に展示室を設けられ、世界各国の才能豊かなアーティストを応援するプロジェクト・シリーズです。個展形式で、アーティストにとっても良い機会になりますし、キュレーターにとっても初めて一緒に仕事をするアーティストを選んだり、実験的なことを試みたりもできます。この時に展示をしたメルヴィン・モティはオランダ出身のアーティストで、ベネツィアビエンナーレに選ばれるなど中堅の著名アーティストです。「出品作品、作家の決定」についてはキュレーターが決定し、作品は新作を作りたいという作家の強い意思があり、その制作のアシストも行いました。この展覧会が決まる前、モティは日本で滞在制作の経験があり、その際にリサーチした、江戸小紋の染めの技術を使って制作したいというアイディアを持っていました。そのため、染工場をリサーチし、彼が作りたい作品を江戸小紋の染め職人に染めてもらう必要があります。図像を作ってきて、それをただ染めてもらうだけかと思うのですが、さまざまなハードルがあり、それを解決していくことになります。私は美術大学を出ているにも関わらず、江戸小紋の細かい制作工程を知らなかったためその勉強から始める必要がありました。現代アートでは、アーティストがさまざまな素材や技術を活用し、アイディアを提案してくることが多く、実現のためにキュレーターやアシスタントも素材や技法について調査し、理解を深める必要があります。モティは、江戸小紋を見たときの錯視のような視覚を利用し制作するということで、細かいドットによる雲のような風景、星座のような風景などの下図を作成しました。できあがり作品のサイズは大きいもので一二〇×一七五センチメートルでしたが、一般的な反物のサイズよりかなり大きいため、布も、刷りに使う台も、版につかうアルミ枠も全て特注サイズでした。そのため普通の展覧会の予算規模では足りず、この時はモンドリアン財団というオランダの文化財団に資金を助成してもらうため、応募書類を揃え、かなりの額を支援してもらい実現に至りました。

次に「会場構成、展示計画」ですが、作家の意向を尊重し実現に至りました。布地が壁にそのまま貼られているような感じにしたい。額装はダメ、パネル貼りも、そのまま展示してペラっとなるのもダメ、ということで悩んだのですが、最終的には表具屋さんに和紙で裏打ちをしてもらい、それを磁石で壁に設置するという解決策に至りました。表具屋さんを訪ね、磁石についても勉強するなど、新たな知見が蓄積されました。

「広報物の準備」は美術館には広報の担当者がいるので、プレスリリースやフライヤーに使用するテキストや画像を提出すると、原稿案を作ってくれます。広報の担当者とコミュニケーションをとりながら、ウェブ、フライヤー、プレスリリースなどができてくると展覧会がもうすぐ始まるんだな！と緊張感が高まります。「作品集荷・輸送」については、この展示では素材の布を中国から取り寄せたり、できた布地を表具屋さんに送ったりなど輸送の手配は複合的に行われました。ただし、日本で制作したので、海外からの輸送はありません。返却の際に国内からオランダへ輸送しました。

さて、作品が揃うとやっと「会場設営・展示」となります。事前に展示箇所を図面で決定し、設置方法も決め、説明のパネルやキャプションなどの詳細情報を整えます。設置は美術館の場合は業者さんが入ることが多いので、事前に打ち合わせをして展示してもらいます。作品をチェックして、コンディションシートをつけ、設置できる状態にしておきます。この場合は先述のとおり磁石を使った特殊な展示で、地味ですが手間と時間がかかるものでしたが、美しく設置してもらいました。ようやく「内覧会、展覧会オープン」となります。森美術館のオープニングは華やかですが、朝からプレスツアーや記者発表、その後のレセプションなど、分単位でスケジュールが決まっています。全員総出の役割分担がされ、息つく暇がないというもので驚きました。「関連イベントの開催」は会期中に展覧会や作品の理解を深めてもらうため、アーティストのトークイベントや、過去の作品の上映会などを開催し運営します。このときはオープンしてから「カタログ制作」を行いましたが、新作の発表のため、オープンしてから会場風景と作品を撮影しカタログデータを作成しました。デザイナーと一緒にレイアウトや編集、校正などまで補佐し、できあがりまで並走します。このようなやりとりのなかで予算を管理し支払いに関する書類を作成したり、契約に関する書類を整えたりしていきます。美術館はインフラも整っていて、準備期間もしっかりあり、予算もある、たまには勉強会もあり、アーティストやキュレーターにも出会え、刺激的な修行の日々となりました。美術館で基礎となる展覧会の仕事のいろはを学ばせてもらったおかげで、この後に引き受ける芸術祭での屋外展示など複雑な進行時にも役立ちました。

芸術祭での仕事

森美術館での仕事の後「さいたまトリエンナーレ二〇一六」（現・さいたま国際芸術祭）のプロジェクト・ディレクターを依頼され、七名のアーティストの担当となりました。美術館での仕事と比べると、応用編ともいえる複雑な進行で、許可申請のための書類作成や事務仕事も多く、現場進行や予算管理も通常と異なるハードな仕事でした。開催が一回目ということもあり、事務所をつくり文房具やコピー機を導入してもらうなどインフラから、主催者のさいたま市に要求することや、支払方法のマニュアルがそもそも無く、一つずつ確認しないと前進しないという苦労もありました。プロジェクトは設置場所を探すところからリサーチし、アーティストのプランについて共に協議し、実現に向け進行します。

担当したなかで印象に残っている作品として、韓国のアーティスト、チェ・ジョンファの《サイタマンダラ》があります。リサイクルのためにペットボトルを圧縮させキューブ形状になった塊をピラミッドかタワーにしたいというプランを提出してきたのですが、予算との兼ね合いや、工作物の確認申請を回避するために、最終的には約十三万本のペットボトルから構成された四メートル以内のサイズに収めました。会場の桜環境センターは環境啓発や余熱体験施設が併設された新しいタイプのごみ処理場で、この作品の周囲には、ソーラーパネルやビオトープなどが存在しています。作品は芝生の裂け目からまるで廃棄されたペットボトル群が生えてきたようにも見えました。消費社会の象徴でもあるペットボトルという素材は、市民が何気なく使い、資源物としてリサイクルしたことで自動的にこの作品に参加したと捉えられるものでした。地域の芸術祭は、市民参加を掲げることが多く、制作プロセスに関わってもらう、ワークショップを開催するなど悩みながらプログラムを作ります。そんな状況を逆手にとって、市民参加の意味を問い、改めて考えさせる象徴的な作品だったと思います。

アワードの運営、企業との仕事

会社で引き受けている事業で、二〇二一年に十五回目を迎えるアートアワードトーキョー丸の内があります。こちらは会社を立ち上げる前から関わっており、推薦応募形式のアワードで、運営事務局を担当しています。このプログラムは、東北から関西まで約二十の美術大学の卒業制作を見て回り、そこから選ばれた約三十名ほどの入選作品を丸の内のパブリック・スペースに展示するという企画です。毎年、卒業制作展を審査員と訪問し、約百名の方にお声がけをして、ポートフォリオ審査を行い入選者を決めます。丸の内の地下のショウケースや、ビルのロビーなどに展示をし、鑑賞者には街を回遊しながら作品を楽しんでもらいます。また通勤者や買い物客など偶然、アート鑑賞を行う方々も多くいます。日本では、卒業制作展からの選抜展を企業主催で行なっている例は他になく、若手アーティストの登竜門にもなり認知度も年々あがっています。具体的な仕事の内容としては、審査会の運営、広報関連のデータの収集や編集、そして展示にまつわる準備、設置、撤去、関連イベントの運営などの作業があります。商業ビルの一角に展示しますので、お客さんのいない夜間や早朝にかけて効率よく展示できるように事前調整が欠かせません。さまざまな準備はアーティスト、協力会社と共に行っていきます。主催者のほか代理店、設置業者、輸送業者、デザイン会社など多くの人が関わりこの展覧会が運営されていることに、参加アーティストも驚くようです。先述した展覧会のプロセスに当てはめると、美術館と大きく違う部分は、夜間の準備、搬入経路の確認や審査会の準備などでしょうか。ガラスケースに作品が入らない、エレベーターのサイズの確認など、通常の美術館ではあまり心配しなくて良いことも細かく調整が必要になります。その他、ギャラリートークや授賞式の準備など付随する関連イベントも対応しています。二〇二〇年にはコロナ禍中にも関わらず開催しましたが、ニコニコ生放送でギャラリーツアーを放映するなど時代に合わせ工夫しながら発信しています。三菱地所という企業が主催のため、いわゆる展覧会とは違いイベントの側面もありますので、主催者にどのようにアートの価値を伝え共有していくか、悩みながら携わっています。個人的には、毎年、有望な若手アーティストを知ることができ、彼らと交流でき才能や可能性に出会え、それを多くの人に伝えることが一番の喜びです。過去のグランプリには、「目」というアートチームで活躍する荒神明香さんや、木村伊兵衛賞を受賞した片山真理さんなど、大きく羽ばたき活躍しているアーティストがいます。若いアーティストにとっては、ショウケースの中やビルの一角など、百パーセントの力を出すのが難しい会場でのチャレンジとなります。その点を丁寧に伝えながら、なるべく力が発揮できるよう相談をして、展覧会としてもイベントとしても成功できるよう尽力しています。

先人から学ぶ展覧会とは

展覧会の実践に携わるなかで「展覧会とはなにか」という疑問が募り、特に近代のさまざまな種類の展覧会について積極的に学ぶよう心がけています。例えばベルギーのアーティスト、マルセル・ブロータースのアート・プロジェクト《近代美術館 鷲部門》。この作品は一九六八年にブリュッセルで設立されたコンセプチュアルな虚構の美術館で、デュッセルドルフ、アントワープ、カッセルなど、ときには美術館やドクメンタの会場で、ときには作家自身の自宅で、場所を替え展開されました。恒久的なコレクションや特定の発表場所を持たず、一九六八年から一九七二年にかけ合計十二以上の「セクション」を展開したものです。彼は自宅のブリュッセルでこのプロジェクトの「十九世紀」セクションを開始します。一九六八年九月、自らが館長でありキュレーターとなって新たに創設した美術館を一般公開し、美術館で使われるさまざまな備品（作品の輸送に使われるクレート、照明灯具、脚立や看板、ポストカードなど）を展示しました。作家本人が館長となり挨拶をしているオープニング風景の写真をよくみると、窓の外に輸送用のトラックが駐車していることすら見てとれます。一見すると滑稽で突飛な脱美術館の手法のように感じますが、当時の脱美術館の流れや、制度や権威への疑問や社会運動も背景にありながら、美術作品の意味や、流通とはなにか、など現代においても多くの示唆を与えてくれます。

私の仕事は、展覧会をつくるための仲介、媒介の仕事です。関係者や作品の間に立って調整して展覧会がスムーズに開催されるように尽力しています。実務が中心で、そこに主軸を置きながら、先人たちの展覧会のアイディアや発明、その背景について今後も学び「展覧会」の意味を更新しながら、凝り固まらずにチャレンジしたいと思っています。

註1　難波祐子『現代美術キュレーター・ハンドブック』青弓社、二〇一五年、p.54.

参考文献

エイドリアン・ジョージ『THE CURATOR'S HANDBOOK—美術館、ギャラリー、インディペンデント・スペースでの展覧会のつくり方』河野晴子訳、フィルムアート社、二〇一五年。

難波祐子『現代美術キュレーター・ハンドブック』青弓社、二〇一五年。

『さいたまトリエンナーレ二〇一六公式カタログ』さいたまトリエンナーレ実行委員会事務局。

『MAMプロジェクト021：メルヴィン・モティ』森美術館、二〇一四年。

『プロジェクト・フォー・サバイバル』京都国立近代美術館、一九九六年。

協働の場としての美術館

末永史尚

愛知県美術館での展覧会

私は美術作家として、これまでにいくつかの美術館の企画に参加してきました。その中から、愛知県美術館での展覧会、東京都現代美術館でのワークショップ、水戸芸術館でのアーティスト・イン・レジデンスについてお話します。

まずは、愛知県美術館での展覧会について。「APMoA Project, ARCH」という企画の十一回目として、二〇一四年に私の個展「ミュージアムピース」が開催されました。この企画は、愛知県美術館の学芸員とアーティストが協働してひとつの展覧会をつくるというものです。私の場合は学芸員の副田一穂さんから連絡があり、実現することになりました。「ミュージアムピース」というタイトルは私から提案したものです。依頼時に最初から展覧会のプランがあったわけではなく、ゼロから考えていきました。そのためまずは美術館のリサーチを行いました。バックヤードや収蔵庫など、一般には公開されていない場所も、隅から隅まで見たうえで、この美術館にあるものや、美術館そのものを扱った展覧会にする方が私の制作の特性が出るのではと考え、このテーマに至りました。

実際に展示した作品ですが［図1］、メインになっているのは壁面にかけられている名画の額縁をモチーフにした絵画作品です。美術館のコレクションにあるピカソ、ミロ、クリムトなどの絵画作品の額縁のサイズを採寸して、その額縁を含めたサイズの支持体をつくり、、元の絵画の額縁を簡略化して描き写し、中央の部分をモチーフとなった絵の主たる色で塗りつぶしています。

図1「APMoA Project, ARCH vol.11 末永史尚『ミュージアムピース』」愛知県美術館 展示風景 2014年
撮影：城戸保　Photo: Tamotsu Kido

展示室の中央には、箱状の作品を台座のうえに置いています。美術館で刊行しているカタログをモチーフとしたもので、数冊分をまとめた状態なので背にあたる部分がストライプに見える作品になっています。美術館で使用しているスポットライトをモチーフにした作品があります。これも、実際に使

用しているものから採寸した、まったく同じサイズのものです。素材は合板で、上から和紙を貼っています。

段ボール箱をモチーフとした作品も展示しました。段ボール箱は美術館にだけあるものではないのですが、それをモチーフとした作品をここに設置することで、美術館の裏側が表側に現れた感覚を呼び起こす効果があったと思います。

細かいところでいいますと、壁にかけたパネル作品の脇に、キャップションをモチーフにした作品も設置しています。当時の愛知県美術館は作品情報を正方形のアクリルケースに入れて掲示するタイプのものを使っていました。それと同じサイズでつくったパネルにまったくちがう色を塗っていますが、作品との距離や高さは実際のコレクションの展示方法とまったく同じにしています。

図2「APMoA Project, ARCH vol. 11 末永史尚『ミュージアムピース』」愛知県美術館 展示風景 2014年
撮影：城戸保　Photo: Tamotsu Kido

展示室の外のポスター掲示板では、ポスターをモチーフとした作品を展示しました［図2］。美術館の掲示コーナーは、単にポスターが留めているだけに思えますが、よく見ると、館によって留め方に個性があります。テープで留めると

か、マグネットで留めるとか。ピンで留める場合でもピンの色を変えていたり。掲示する人間の美意識が見える面白い場所なのです。これを撮影していた写真です。

それを最初に発表したのは二〇一三年でした。アーティストの冨井大裕さんとの展示企画ユニット「壁ぎわ」は、展覧会はさまざまな場所で行うことができるという趣旨で、これまで多くの企画を行ってきました。そのなかで、日本大学芸術学部の彫刻専攻の前の廊下にある巨大な掲示板を使って展覧会を行ったことがあり、その企画で発表しています。愛知県美術館のときは、それこそ美術館のポスター掲示板ですから、もっともふさわしい場所で展示できたといえます。

これらの、美術館で展覧会を鑑賞する際に目にしているはずなのに見ないことになっているものが作品に転化され、展示されることで、その他の場所での「見ること」にも作用するような展覧会となっています。

学芸員と協働で作品をつくる

この展示に限らず、美術館の企画するこうした展覧会は学芸員との協働でつくってゆくことになります。ひとりで作品を制作するのとはちがった経験ができるので、その機会を最大限に利用した内容にしたいと思いました。コレクションをモチーフとして使うとか、採寸させてもらうとか、外部のアーティストには普段はむつかしいことも、こういう機会にはできます。

この展覧会は、私にとっては、美術館で展示をする二度目の機会でした。同年の少し前に、群馬県立近代美術館で企画された「開館四十周年記念 一九七四第一部 一九七四年に生まれて」に参加したのが最初です。愛知と群馬、ふたつの展覧会をほぼ同時に準備していましたので、実質的には、学芸員と一緒に展覧会をつくる、ほぼはじめての経験だったといえます。ある程度の規模の展覧会で、作品の大切な部分を任せられるパートナーがいるのははじめてでしたので、いろいろな点で面白かったです。

コマーシャル・ギャラリーでは、ギャラリストがパートナーになって一緒に展覧会をつくります。ただ、ギャラリーの場合、作品を販売することが目的ですので、学芸員と一緒に行うのとは目的が違います。美術館の場合は、作品がどのような意義をもっているか、学芸員の観点から見て面白いかどうか、そして、それを来場者にどのように伝えるかを一緒に考えてゆくパートナーになります。

この展覧会をきっかけとして、作品のなかの特定の部分を他人と一緒につくる楽しみを覚えた気がします。すべてを自分一人でやらなくても作品をつくれることがわかりましたし、協働することで実現できる領域が広くなることを実感しました。

東京都現代美術館でのワークショップ

つづいて、二〇一九年の夏に東京都現代美術館で実施したワークショップについてです。子ども向けのワークショップは別枠で行われていますが、それとはちがう、大人向けという依頼で行ったワークショップで、タイトルは「描く・切る・組む」としました。二日間にわたって開催するのが通例になっているので、私のときも二日間の日程で行っています。

一日目に行ったのが「日用品のペーパークラフトを使って制作し、展示する」です。さまざまな日用品と同じサイズのペーパークラフトをあらかじめ用意して、それをくじ引きで参加者に選んでもらい、組み立ててもらいました。その厚紙製の立体物に、用意した実際の日用品を見ながら、それぞれの解釈で色を塗ってもらいます。本物そっくりではあるけれども、微妙に実物と様子のちがう作品がそれぞれできてゆくことになります。

このワークショップでは、美術館内のライブラリーとショップに展示することも行っています。ライブラリーのなかに岩波文庫をモチーフにしたものが展示されたり、トイレの前の床にスポンジをモチーフとしたものが置かれたりしています。同じ作品でも、環境によって見え方が変わりますし、逆に、作品があることによって環境も見え方が変わってくる。「つくる」だけではなく、「見る」ことも経験するワークショップでした。

二日目は「ダンボールでつくるタングラム・ペインティングの制作と展示」です。私のタングラム・パズルをモチーフにした組み換え可能な絵画作品をベースにしたものです。まず、ワークショップのために用意した段ボール製のペーパークラフトを使って支持体の部分をつくります。次に、私が用意した「好きな食べ物」「動物」「空にあるもの」「夏」「ここに来るまでに見たもの」などの八つのテーマから一つを選んでもらい、そのテーマに沿って絵を描いて、組み替え可能な絵画作品をつくっていただきました。こちらも、あらかじめ選んでおいた美術館内の場所に作品を設置しました。

ワークショップの場合、情報を出す順番によって体験が変わってきますので、ワークショップの説明時には私の作品はあえて見せないで、最後に作品についてのレクチャーをしました。なるべくフレッシュな状態で参加できるように考えました。

美術館でワークショップを行う場合には、展示されている作品を制作したアーティストとして呼ばれることになります。そのため、主たる目的は、アーティストと交流することと、そのアーティストの作品を理解することになると思います。ですので、自分の作品の要素をかみ砕いて、誰もがつくれる状態にセットしておいて、それを体験するかたちを考えることが多いです。

私自身の制作が、あるルールを設定して、それを自分で遂行してゆくことで生まれるかたちを作品にする方法をとっています。そのルールに即して、自分ではなく、別の人がつくったらどういうものができるかを見ることができる。そのことが刺激的でおもしろい。自分で定めたルールを自分で遂行すると、どうしても、一定の枠に収まってしまう。その限界をワークショップによって突破できるかもしれないとも思います。

たとえば、二日目のワークショップで「セブン-イレブン」のマークを描いたものを家のかたちに組み換えて、それを美術館の大きなガラス面に貼りつけたものを制作された方がいらっしゃいました。これはガラス窓の向こうにある、砂利の地面を家が建つ土台に見立てていて、借景のような意図をもっていました。こうしたことから、ガラス面を使った設置方法のおもしろさに気づいてもらえる。他には、階段のところの壁に設置したものもありました。この作品は側面もしっかり描きこまれていたので、その側面を効果的に見せることのできる展示場所を考えたわけです。階段で上から降りてくるときに、上側の面を見ることができます。作品のかたちを組み換えると、設置方法も変わってくるところは、自分の作品の設置でも応用できると思いながら見ていました。

この両日のワークショップでは、展示することにも重要な意味がありました。理由のひとつには、展示までを含めて体験してもらった方が私の作品の理解につながるだろうという考えがあります。もうひとつは、一般の方は美術館で展示をする経験がないでしょうから、そのことを楽しんでもらいたいという考えもありました。美術館の廊下や図書館のなかに自分の作品を置くのは、かなりどきどきする経験だと思います。その「一線を越える」ような感覚をぜひ体験してもらいたいと思い、プログラムを作っています。

学校に出向いてのワークショップ

こうしたワークショップの講師を務めることにたいしては、かつてはそれほど積極的ではありませんでした。その意識が変化したのは、同じ東京都現代美術館の企画した、学校にアーティストを派遣して行うワークショップ「アーティストの一日学校訪問」にかかわったあたりですね。順番としてはこちらの方が早く、二〇一八年度です。都内の小学校、中学校、高等学校の内の六校に出向いて、訪問授業として実施するプログラムでした。

美術館からは、ひとつのプログラムを六校すべてでやってよいという依頼でしたが、アイデアを出してゆくと、いろいろと出てくるわけです。結果的には、四つの案を提示して、各学校の担当の先生と相談して、それをさらにアレンジするかたちで進めました。同じ案を採用しても、それぞれの学校の実情に合わせてアレンジすることになるので、六校すべてでちがう内容になりました。

たとえば、大塚ろう学校では、「物の影をつかまえる」というタイトルで、影の形を描くワークショップを行っています。小規模な学校なので、小学一年生から六年生まで二十二人全員で一緒に行いました。

まず、それぞれの生徒がもってきた日用品を、台から三十センチメートルくらい浮かしたアクリル板のうえに置いて、上から照明をあてる。次に、その浮かした下側にあるスペースに画用紙をおいて、画用紙に映った影を絵の具でなぞる。なぞった影は不思議なかたちになりますが、それをそのままでも、そこから連想して、別の絵を描きたしてもよいとしました。ほとんどの生徒が影の絵にいろいろなものを描きたしていました。

美術館がそのように明言しているわけではありませんが、このプログラムは、これまであまりワークショップを行ってこなかった作家に積極的に声をかけている印象があります。ワークショップのプログラムをパッケージとしてもっている作家を選ぶというよりは、美術館と作家とで一緒にプログラムをつくってゆくつもりで声がけしているように思いました。それぞれの作家の作品の特徴からどのようなワークショップを導き出せるか、それを一緒につくりましょうという姿勢ですね。

学校でのワークショップでは、美術館でのワークショップとはちがうものが求められているように思います。美術館の場合は、僕の作品を部分的にでも体感してもらえればよいというところがありましたが、学校の場合は、普段の図画工作の授業ではできない内容を期待されていて、そこで私のようなアーティストの力が必要とされる部分があったのだと思います。

水戸芸術館でのアーティスト・イン・レジデンス

二〇一九年の三月末から五月の連休明けまで、水戸芸術館現代美術ギャラリーの「アートセンターをひらく」という企画に参加しました。

水戸芸術館は、正確には美術館ではなく、公称として、現代美術センターという表記を使っています。開館して約三十年が経つということで、これを機に、現代美術センターとはなにかを自ら問うという趣旨でした。子ども向けのワークショップであったり、ファッションショーであったり、上映会であったり、いろいろな企画が実施されましたが、そのなかにアーティストの滞在制作が含まれていました。

アーティスト・イン・レジデンスにはさまざまな形態がありますが、ここで特徴的だったのは、展示室で滞在制作を行うことでした。リサーチ型のアーティストは、その期間、ずっとまちなかに出ていましたが、それでも、その展示室を拠点として制作活動を行っていました。

実際には、展示室のなかに住んでいたわけではなく、私は水戸市内の普通のアパートから通っていました。私以外にも六名のアーティストが滞在制作をしていましたが、水戸芸術館のスタッフと仲のよい人の自宅に泊まっている作家もいました。地方の美術館は地域との連携が強いので、事業に協力的な市民がたくさんもおられます。

私は、このとき、東京造形大学の専任教員になったばかりでした。着任一年目で、担当する授業の数がまだあまり多くなかったこともあって、週のうち二日は造形大、五日は水戸に滞在するという生活を一ヶ月間すごしました。

実際のところ、滞在制作といっても、最初はなにをすればよいかわかりませんでした。私以外のアーティストは地域とのかかわりをテーマとしていて、たとえば、中国にルーツのある潘逸舟さんは、技能実習生の問題に関心を持ち、実際に農家で働いたりしています。私は割と純粋に造形に向き合うタイプですので、展示室をアトリエにして、絵を描く準備をして、あとはひたすら美術館のなかの様子を観察することに時間を使いました。私は自分が展示した展示空間のマケットをモチーフにした作品も継続して制作しており、このときもそれを制作しています。

愛知県美術館での展示のようなことができないかと思って、美術館の収蔵庫のリサーチも行いましたが、よい額縁がないのですね。水戸芸術館のコレクションの平面作品には写真が多いのです。小林孝亘さんの作品などの絵画もありますが、多くは二メートルくらいの大きさで、しかも額縁がないか、仮縁みたいなものが使ってあるか、どちらかです。いろいろと考えてはみたものの、最終的には断念しました。

会期中には、展示室のなかにカフェが設営されていました。図書館兼イベントスペース兼いろいろな人が自由に出入りできる場所です。滞在しているアーティストがカフェで休憩しているときに、来場者と交流することも意図されていたように思います。

アーティストが滞在制作している場所は奥まったところにあったので、この滞在制作は、実は、それほど公開されてはいません。カフェの方は常にオープンしていて、しかも無料なので、近所の幼稚園のお迎えの帰りに親子でふらっと立ち寄る感じの、非常に開かれた雰囲気でした。展示室のほうは静かでしたね。それでも、脇を通るボランティアスタッフさんがずっと制作過程をみてくれていたり、お客さんとお話したり、様々な形で関わりが生まれていました。

「アートセンターをひらく」は一期と二期に分かれていて、一期に滞在制作、二期に滞在時に制作を開始した作品を発表する構成でした。一期と二期とのあいだが半年くらいあいていたので、そのあいだに、普段の制作場所に戻って制作を続けました。

最終的に私は《再配置できる絵画》という、組み替え可能な絵画を展示しました［図3］。水戸芸術館の長細い展示室のなかに、同じサイズの本棚状のフレームを六点並べています。それぞれのなかには、私が模様を考え、ペイントしたブロックが置いてありますが、来場者がそれを自由に組み替えられるようになっています。関与する人の感性によって、その都度形を変えていく絵画作品です。この作品によって、地域の人々や来場者がこのアートセンターを作っているのだということを可視化したいと考えていました。

図3 末永史尚「再配置できる絵画」展示風景（「アートセンターをひらく 第2期」水戸芸術館現代美術ギャラリー）2019年
撮影：根本譲　Photo: Yuzuru Nemoto

美術館をとおして社会を見る

この企画に参加したことによって感じたのは、ほかの地方美術館もそうだと思いますが、ここがとても面白い常連の市民に支えられていることでした。水戸芸術館は継続して活動を行ってきたので、非常に密度のある現代美術の展覧会をずっと見続けている人たちがいる。東京の大規模な美術館で展示するよりも厳しい目が向けられているともいえます。

また、他のアーティストの仕事をとおして社会を見たことも興味深い経験でした。潘逸舟さんや他のアーティストが水戸の抱えているさまざまな問題を可視化する作品を制作していましたが、その制作過程を間近で見ることができたので、生々しく体感できたわけですね。私は造形的な作品をつくっているので、普段はそうしたところにコミットすることは多くありません。そうしたアーティストたちと一緒に参加したことで、地方都市の抱えている問題や、美術館の抱えている問題などが見えてきました。そのことが自分の作品にすぐに反映されることはないのでしょうが、人間として学ぶところがあったということでしょうね。

私はひたすら自身の制作場所で制作を続けてきたタイプの作家でしたが、美術館に直接的にかかわる経験をしたことで、作品の受け手がきちんといることを実感できました。私が想像していた以上に、美術を見ることを必要としている人がいるのを知ることができたのです。現代美術は社会に必要とされているのか、されていないのか、そうした議論は私が学生の時代からありましたが、十分に必要とされていることがわかったのです。現代美術を軸として思考したり生活したりしている人がこんなにたくさんいるのだと実感できました。そのことだけでも、美術館は社会的な役割を十分に果たしているのではないかと思います。

美術館は制作された作品を公開する場所ですが、それだけではなく、作家も鑑賞者も双方が満足できる、あるいは「与え合う」ようなコンテンツが用意されている場所だといえます。それは、学芸員や教育普及のスタッフの方をはじめとするたくさんの方が、これまでに、たくさんの努力を重ねられてきた結果だと思っています。

展覧会監修者の役目

池上英洋

展覧会を企画しているのは誰か

美術展覧会にはさまざまな種類がありますが、いかなるものであろうと誰かが企画したことで誕生した展覧会なので、すべての美術展に企画者がいます。どのような作品を集めるか、どのような構成でそれらを展示するかなど、展覧会は企画者次第で決まります。企画者はたいてい、ギャラリストや学芸員と呼ばれるポジションのひとがその役目を果たしていて、彼らがアイデアを出して展覧会の特色を育てていきます。

ギャラリストはギャラリーのオーナーである場合もあれば、社員として雇われている人、なかばフリーながらもギャラリーに所属している人、あるいは完全にフリーランスとして活動している人などがいます。美術館の学芸員とよく似た立場ですが、基本的にギャラリストは美術商として作品販売を主目的としている点に違いがあります。ただ、美術館とギャラリーが欧語では同じ単語であるように、最近は日本でも両者の役割の違いはそれほど明確なものではありません。

美術展のなかには、学芸員の他にも企画を担っている人物がいるケースがあります。例えば日展や二科展などの公募展であれば、選考委員会がその展覧会の傾向や性質を実質的に決定しています。そして、特に大規模な展覧会に多いのですが、学芸員に加えて、新聞社やテレビ局の事業局が企画段階で大きな役割を担うことがあります。彼らは最初から美術館と一緒に企画を立てることもありますが、彼らだけで先に企画案を立ててから共催する美術館を決めるケースもあり、海外の美術館や作品所有者と作品の借り受け交渉もする、非常に実践的な企画組織だといえます。

さて筆者は美術史を学ぶ一研究者として、大学に勤務しています。美術史研究者のなかには美術館で学芸員として勤務しているか、勤務した経験がある人が多くいますが、筆者にはその経験がありません。そのような経歴でも、時には展覧会に密接に関わることがあります。それには、展覧会で作る図録（展覧会カタログ）に寄稿させていただく時や、図録中の論文や展示作品解説文（キャプション）を翻訳する場合、そしてなにかしら意見やコメントを求められる学術協力者として携わる時などがありますが、加えて、展覧会監修者としてより深く関わるケースがあります。

この展覧会監修者という仕事にもまた、いくつかの異なるタイプの役割があります。「関わり方の深度の違い」といったほうがわかりやすいかもしれません。上記したようなギャラリストや学芸員とともに最初から関わるケースから、ほとんどすべてお任せしているような状態で、ほぼ学術協力に留まる役割しか果たさないケースまで、その深度はさまざまです。それでは以下より、筆者自身が関わってきた展覧会監修者としての実際の様相を、ふたつのケースを選んで説明していきましょう。

「Xenobio展」（イタリア、二〇〇〇年）――企画から単独でおこなったケース

最初のケースは、イタリアでおこなった展覧会です。日本と事情が異なるので、私事ばかりになりますがまずは経緯を説明します。

筆者は日本の大学で非常勤助手として勤務した後、イタリア政府からの給費をうけてボローニャという街に留学しました。ボローニャ大学で美術史や文化史、記号論などの講義を受けながら、研究発表を何度も繰り返すうちに、三年目に運よく地元の出版社が発行している美術業界紙に記事を何度か書かせていただく機会を得て、それをきっかけに、ボローニャ市と県が発行している雑誌での連載も始まり、徐々にイタリアのアーティストや批評家たちの知り合いが増えていきました。

業界紙での特集記事や雑誌の連載記事のためにアーティストの取材を続けていれば、おのずとそ

のなかに、自分が惚れ込むような作品を創る作家にも何人か出くわすものです。そのうちに、彼らの作品が一堂に集まった光景を眺めてみたい、という気持ちが徐々に強くなってきました。そのような機会がないのなら、自分で作れば良い。しかし筆者にはイタリアではおろか、日本でも展覧会を企画した経験がありません。まったくわからない靄の中を手探りで歩いていくような作業が始まりました。留学四年目のことでした。

イタリアはすべて人のつながりで物事が運ぶ国です。筆者はその点で、運にも恵まれていました。最初に相談したのは前述の業界紙の Guido Tucci（グイド・トゥッチ、故人）編集長でしたが、高い関心を示してくれて、様々なアドヴァイスをさずけてくれました。それらを簡潔に箇条書きにすると以下のようになります。

一、まずはコンセプトを明確にしなければならない。どのようなスタイルの、何を狙った展覧会にするのかをはっきりと決めたうえで、作品を集める交渉をおこなうこと。
二、展覧会にはお金がかかる。良質にしようとすればするほど高額になるので、資金獲得が肝要となること。
三、展覧会成功のためには良き器が必要である。良い場所にあり、広く雰囲気が良く、設備が充実している空間が理想的であること。
四、複数の作家で構成される展覧会では、まず最初に「格の高い」作家（実際にこのような表現をしていました）をひとり確保すること。その作家の名を企画書に載せたうえで、他の作家との交渉をおこなう必要があるのは、他の参加作家の格の上限がその一人目の作家の格となるからである。
五、展覧会は一人ではできない。有能なスタッフを安く集め、またひとりでも多くの協力者を得るのも企画者の仕事であること。
六、展覧会の成功は、一にも二にも宣伝にかかっている。そのため広報活動にかなりの資金と労力を割く前提でことを進めなければならないこと。

記してみれば当然と思えるようなことばかりなのですが、一人目の作家の格が他の参加者の格の上限となるといった、身も蓋も無いような直接的な助言には驚いたものです。この編集長は当時すでに高齢で長いキャリアをほこる方で、業界内に友人も多く、上記の助言の各項目に対して的確な助力をくれました。

まず第一の項目についてですが、東洋から来た若手の研究者がヨーロッパでおこなう展覧会であれば、それなりの特色が出せるはずだし、必要だとのことです。筆者本人も、日本人である自分がイタリアで西洋美術と西洋文化を学ぶ意義がどこにあるのか悶々と考えていましたし、現地での取材や交流を通じて、自分のように他国から来てイタリアで活動している人々とも触れ合えたので、ある植物の種が鳥などによって運ばれて、まったく異なる地であらたに育つこと、そしてもとは異なる環境で育っていた種同士がそのあらたな地で共生するようになることを指す「Xenobio」という語を表に掲げ、異種共生をコンセプトとする展覧会の企画を立てました。

そのために異なる国の出身でイタリアで活動しているアーティストの作品で展覧会を構成し、さらに図録では、やはり異なる出自をもつ書き手を複数揃え、アーティストと書き手でペアを組んで、各書き手が担当するアーティストの作品に対して一章を捧げ書く構成を考えました。つまりここでの異種共生とは、異なるアーティストの共生に加えて、異なる表象形態をもつ文化間での共生をも狙おうとしたのです。このコンセプトを明確にすべく、展覧会のタイトルを「Xenobio: dialoghi sulla frontiera interculturale tra arti visive e letteratura（異種共生―視覚芸術と文学の異文化間対話）」としました。

編集長はこの考えに賛同し、すぐに次に必要なステップへと駒を進めてくれました。それは第四の項目にある、「最初のひとり」の選定です。前述した業界紙で筆者も記事に採り上げたことのある画家に、ボローニャ出身・在住のイタリア人画家Wolfango（Wolfango Peretti Poggi、ヴォルファンゴ・ペレッティ・ポッジ、故人）というよく知られた画家がいました。当時すでに七十歳代でしたが、野菜や手、石などを拡大鏡で覗き込んだようなモチーフを、ゆうに三メートルはあろうかというほどの大画面に拡大展開する独特の作風で、長年精力的に発表している方でした。編集長の長年の友人でもあるヴォルファンゴに、編集長とともに面会し、趣旨を理解してもらえたことで、大きなハードルをひとつクリアすることができました。

次に、第二項の資金面と第三項の展示場所を探すために、自治体が発行する雑誌に連載していた伝手を頼って、いくつかの公共機関と助成団体をたずねました。その結果、資金面では、作品やチケットの販売を目的としないことを条件に、イタリアにあるドイツ文化会館が作品運搬費などかかる最低限の費用をすべてバックアップしてくれることになりました。展示場所としては、新興ながらボローニャの中央に広い面積をもち、センスの良い現代作家展をよく主催することで定評のあるアリエーテ画廊が、作品販売を目的としない展覧会となるにもかかわらず、無償で手を挙げてくれました。また、図録にかかる印刷費用はくだんの編集長のいる出版社がすべて請け負ってくれることになり、これで基本的に必要なすべての条件をクリアできる見込みが立ったのです。

出展を依頼する画家を選ぶ作業は、展覧会を企画運営する者にとって最も楽しいステップです。

編集長と何度もミーティングを重ね（イタリアなので編集部のオフィスよりも、バールやトラットリアでおこなうことが多いのですが）、結果的に筆者が好きな作家四名を選び、そして編集長が推す二名を加え、ヴォルファンゴとあわせて七名に出品を依頼しようということになりました。前述した条件により作品を会場で直接販売できない制約があるため、趣旨への賛同を得るべく説明を重ねましたが、結果的に最初に挙げた候補者の全員から快諾を得ることができました。

年齢層にも異種共生的なまじわりを持たせたかったため、アーティストが（ヴォルファンゴ効果により）皆揃って名のある中堅どころが揃ったので、文章の書き手には思い切って筆者と同年代の若手に依頼しました。さらには、書き手のなかでも異種共生をはかるため、筆者のような美術史家だけでなく、批評家やジャーナリスト、記号論研究者や詩人などに執筆を依頼しました。

こうして絵画と彫刻のアーティスト七名と、それぞれペアをなす七名の書き手が揃い、国籍もイタリア、日本、アメリカ、ロシア、ウルグアイ、デンマーク、セルビアなど多岐にわたっていました。展覧会が当初のコンセプトとしていた異種共生は、こうして異なる表現形式（イメージとテキスト）、異なる表現手法（絵画と彫刻、論考と評論など）、異なる年代・性別・人種・国籍、そして異なる文化背景からなるさまざまな軸において達成できたのです。

残る第五項の協力者集めに際しては、筆者の友人知人がこぞって協力してくれたほか、画廊や文化会館からの人的協力に加え、参加アーティストのなかにもパートナーやマネージャーを助けによこしてくださる方がいました。人件費や謝礼を名目とする資金を持たないため、たとえば図録のデザインと装丁は筆者の友人のイタリア人デザイナー姉妹が無償で担当してくれています。同様に、最後の第六項で必要性が挙げられている広報面についても、当該の業界紙と公共誌のみならず、文化会館や画廊のＤＭ、大学と美大での告知などを通じて地域の多くの美術愛好家や学生に告知されました。

図1 Xenobio展、Ariete画廊での記念シンポジウムの様子。

図2 Xenobio展レセプションにて。左から、本文に記載のあるTucci編集長、筆者、Riccomini教授、画家Wolfango。

会期中、オープニングのレセプションに加え、カタログ執筆者の発表からなるシンポジウムを開催しました［図1］。会期中、予想を上回る来場者にめぐまれたのには、ボローニャを代表する美術史家で、美術作品を学術的に解説する深夜テレビ番組（イタリアにはそのような番組が時おり存在します）を持ち、司会兼解説者をしていたEugenio Riccomini教授（エウジェーニオ・リッコーミニ、故人）がレセプションとシンポジウムに来てくれたおかげもあるのでしょう［図2］。

「レオナルド・ダ・ヴィンチ 天才の実像展」（東京、二〇〇七年）**―企画に途中から加わったケース**

この展覧会（以下、受胎告知展）は、筆者がカタログ翻訳から監修まで、なんらかの形で携わってきたあらゆる展覧会のなかで、最も規模が大きなものです。なにしろ、レオナルド・ダ・ヴィンチの数少ない完成作のひとつである《受胎告知》（ウフィツィ美術館）が初めて日本にやって来たのですから。彼の真筆と認められる絵画のうち、「ほぼ完成に至った」と言える作品は十点もありません。いきおい、現存作例は所有国の国宝として扱われており、滅多に国外に出ることはありません。まだそのような保存の概念があまり無かった一九七四年に《ラ・ジョコンダ（モナ・リザ）》（ルーヴル美術館）が日本に来ていますが、これも今では考えられないケースです（同展はいまだに単独企画展での最多入場者数の世界記録を持っていま

図3　受胎告知展、東京国立博物館第五特別展示室での《受胎告知》一点展示セクション設営時の様子。

す）。どちらの展覧会も、当時の両国の首脳同士の話し合いで決まっており、二〇〇七年が「日本におけるイタリア年」となるにあたって、その目玉として《受胎告知》が選ばれたのです［図3］。

ひと昔前のことなので事情を書いても許されると思いますが、受胎告知展の監修者はもともと筆者ではありません。筆者は海外から日本に帰国後、都内の女子大に勤め始めたばかりでした。それまでレオナルドに関する論文を書いたことはあっても、日本ではレオナルドに関する一冊目の単著がようやく出たばかりの頃で、当初は受胎告知展ではカタログ関連のお手伝いをする程度の関わり方になるはずでした。日本側では、レオナルドの手稿研究で知られる高齢の大研究者（故人）が監修として立ち、イタリアとの交渉や日本側での学術面一切の監修作業を担う予定でした。しかし、イタリアはスケジュールの遅れなどをあまり気にしない一面があり、そのことが日本側監修者にとって我慢のならないものだったのでしょう、作業開始からほどなく監修を辞退なさったのです。こうして途中から筆者が作業を引き継ぐ形で入ることになりました。

このような大規模展覧会には、テレビ局と新聞社がそれぞれ一社ずつ幹事社となるのが普通です。国立西洋美術館や国立新美術館といった大箱での企画展のほとんどが、この形をとっています。受胎告知展では、ＮＨＫと朝日新聞社の事業局が幹事をつとめ、開催館となる東京国立博物館（以下、東博）とともに、実質的に三者共催で企画運営を取り仕切っていました。彼らは美術展運営に関するプロフェッショナルな集団であり、通常の企画展であれば監修者さえ必要としないケースも少なくありません。

ただ、受胎告知展は二部構成からなる特殊な構成をとっていました。レオナルドの《受胎告知》が来るといっても、一点のみでは展覧会になりません。その頃、ちょうどイタリアでは、「La mente di Leonardo: Nel laboratorio del Genio Universale（レオナルドの思考―万能の天才の実験室、以下、La mente 展）」という展覧会が開催され、人気をよんでいました。これはレオナルドの科学面をフィレンツェの国立科学史博物館が、そして美術面をウフィツィ美術館が受け持って作られた、非常に大掛かりな展覧会です。周知のとおりレオナルドの功績は絵画だけでなく、科学史におけるさまざまな発見と発明も重要ですから、この展覧会を《受胎告知》の来日に合わせて東博で開催しようという計画が進められていました。

イタリアでの La mente 展は、科学史博物館のパオロ・ガルッツィ館長が監修をつとめていました。日本に巡回させる展覧会も彼が監修者であることにかわりはありません。しかし、レオナルドの美術作品や科学分野での業績、その人生と同時代の作家たち、また当時のルネサンスの社会状況と歴史からキリスト教主題まで、本国イタリアと日本ではまったく認知度が異なります。いきおい、日本展では説明を足したり引いたり、作品の構成を変更したりといったモディファイが必要となります。そこで受胎告知展では日本側にも監修者としてレオナルド研究者を置いていたわけです。

ところが、前述した通り双方の監修者のやりとりがストップしていたため、急遽若輩者の筆者にお鉢がまわってきました。最初の仕事として、熟練の主催スタッフたちとともにすぐにイタリアに飛び、ガルッツィ館長との関係修復をはかりました。通訳を介さないだけで先方の印象も随分と柔らかくなるものです。モディファイの必要性をひとつひとつ理解してもらうまでには時間がかかりましたが、おおよそ了解を得ることができ、最後は La mente 展の視察にあたって館長も予定外ながら同行し、会場をまわりながら上機嫌で説明してくれました。その後も、館長および科学史博物館スタッフと日本側スタッフとの間でコレスポンダント的なつなぎをおこない、また日本展でのみ展示する予定の作品に関することなどのやりとりが、日本側監修者としての役目の三分の一を占めていました。

さて東博は日本一の美術館であり、学芸員や修復保存部門にもハイレヴェルな専門家が揃っています。ただ西洋美術のイタリア・ルネサンスの専門家がいるわけではないので、レオナルドとルネサンスに関するこまごましたこと——作品のタイトルや用語の訳し方から解説パネルの文章、そして図録の解説文の作成まで——が監修者の仕事の次なる三分の一にあたります。このなかには、イタリア側から送られてくる文章の訳を分担する担当者を集めたり、出てきた訳文の修正や校正作業なども含まれています。

そして残る三分の一を占めていたのが、展覧会の会期前と会期中の取材対応です。新聞や雑誌、テレビやラジオなど各種メディアからの取材に対し、回答や説明をおこなうのも監修者の役目ですが、受胎告知展は注目度の高い展覧会でしたから（その年の世界中の単独企画展の最多入場者数を記録しました）、短期間に非常に多くの取材を受けました。

また監修者は、記者発表での概要説明や記念講演会、記念シンポジウムの司会や発表などで、展覧会の学術的な意義を説明する機会も多く得ることができます。専門的なスタッフが十二分に揃っているところにさらに加わるのがこの種の監修者なのですから、画家の生涯や個々の展示作品の説明だけでなく、その展覧会によっていかなる知見が新たに得られたか、どのような視点を加えることができたのかといったことを明確にして発表することも監修者の使命と考えます。言い換えれば、学術的な成果や社会的な意義がなければ、その展覧会を開催する意味がないとも言えるでしょう。そうした狙いは企画段階ですでにあるか、見通しが立っているべきものですが、もし何も無いなら監修者が必死に創り出せ、とまで考えています。

最後に

学芸員の役割を指導する書は多く世に存在しても、展覧会監修者の役割や実務について説明されている書を筆者はまだ見たことがありません（そのためこの章には参考文献がありません）。それでも、世間で開催される展覧会のうち、割合こそ高くはありませんが、いくつかには監修者がついています。彼らはその展覧会のテーマや、そこで扱われる作家や画派についての専門的な研究者です。批判を覚悟で書きますが、専門家ではない監修者がついているケースはほぼすべて名誉職的なものであり、単にその展覧会に箔をつけるためだけのお飾りにすぎません。これまで国内外で多くの展覧会を見てきましたが、不思議なことにそのような慣習は日本でしか見たことがありません。

その企画展を主催する美術館に当該分野を専門とする学芸員がいないケースや、該当テーマに関してより高い専門性をもつ研究者を必要とするケースを除いて、監修者など本来必要のないものです。よって展覧会監修者とは、本当に必要な時に限って設けられるべきポストであり、だからこそ一層、必要となった時にはその専門性を存分に発揮して、前述したように、その展覧会が学術的な成果や社会的な意義を持つものにする必要があるはずです。そして、そうした成果や意義を難解な学術論文としてのみ発表するのではなく、来場者や取材記事を目にする人に、わかりやすい平易な表現で伝達することもまた、監修者に求められる役目だと言えるでしょう。

言及した展覧会の図録

Xenobio: Dialoghi sulla frontiera interculturale tra arti visive e letteratura, AA VV., a cura di H. Ikegami, Advento, 2000.

『レオナルド・ダ・ヴィンチ―天才の実像』、パオロ・ガルッツィ監修、池上英洋日本側監修、ＮＨＫ・ＮＨＫプロモーション・朝日新聞社、二〇〇七年。

第二章　鑑賞者とつながる

鑑賞者とのつながりをつくる──富山県美術館の活動

滝川おりえ

美術館と社会教育

富山県美術館の滝川おりえです。最初に、美術館の存在意義について考えてみたいと思います。美術館は博物館法に則って活動しています。法的には、調査・研究、収集・保存、展示・教育が中心の運営になりますが、現在はさらに多くのものを求められています。作品の保存修復、情報生産、サービス、マーケティング、博物館評価なども課題になってきています。

この博物館法をたどってゆくと社会教育法があり、さらには、教育基本法に行き着きます。この第一条には次のように書かれています。「教育は、人格の完成を目指し、平和で民主的な国家及び社会の形成者として必要な資質を備えた心身ともに健康な国民の育成を期して行わなければならない。」ここでのポイントは「人格の完成を目指すこと」と、「心身ともに健康な国民の育成を期する」

です。こうした考えが根本にあることを考えると、美術館は「人格の完成」の助けとなる場所だということになります。そして、「心身ともに健康な国民の育成」を読み解いてみると、美術館の利用はメンタルケアにも影響しそうです。気晴らしにやってくるとか、アイデアを見つけにくるとか、そうした各々の目的別の利用が、生活の活力となるよう推奨された場だと言えるでしょう。

次に、「美術館は誰のものか」についてです。多くの人は、美術館やそこにある美術品の所在について深く考える機会は少ないのではないでしょうか。しかしよくよく考えてみると公立美術館の運営費用は税金で賄われています。つまり、美術館の収蔵している作品は税金を納めている人達によって活かされているのです。皆さんの消費税や住民税のうちの一円、二円でも、マティスやピカソの作品取得の助けになっていると思っていただければ、近隣の公立美術館が今よりも少し身近な存在に感じられるかもしれません。そのような成り立ちからも、美術館のスタッフは、県民に対してのサービス向上に資することを考え、どのような価値観の提示が県民にとっての新しい発見や、学びに繋がるかを考えて活動をしています。

そして、サービス向上には、利用者が施設に対して意見することも大事です。美術館を運営している人間もどうすれば美術館の運営がよくなるかを考えていますが、利用する人の目線に常に立てるかというと、なかなか難しいわけです。多くの人に多くの意見を出してもらうことで、より使いやすい美術館になってゆくのではないかと思います。

富山県美術館の運営は県の文化振興課が統括していますが、そこでは、文化振興計画を策定しており、美術館はそれに則って運営されています。「やすらぎとうるおいのある暮らしの実現」、「次世代を担う子どもたちの育成」、「文化による地域づくり」、「文化による産業の創出と経済の活性化」、「文化による生活福祉の充実」、「国際交流による友好と平和の推進」以上、六つの項目を文化の指標とし、県民の役に立つこと、人材育成に資することを目的として運営の方針が立てられているのです。

美術館に求められる役割

今日のテーマである「鑑賞者とのつながりをつくる」に進みたいと思います。現在、美術館にはどのようなつながりが求められているのか、昔と今とを対比して考えてみたいと思います。

昔というのは一九八〇年代の初頭です。日本に美術館が次々と建てられてゆく頃で、美術館の黎明期と呼べる時代ですね。その時代に美術館に求められていたのは、もちろん、現在でもそうした面もありますが、美術作品を鑑賞する場所、収蔵品についての情報を得る場所であることでした。美術をアカデミックに深く学びたい人に向けて開かれた場所だったといえます。

現在では、その役割はより複合的になっています。これからの美術館に求められるものは色々あります。企画展も著名な作家のものだけでなく、マンガやアニメ、テクノロジーや体験型展示など、親しみやすい企画がトレンドになっています。ほかには、福祉的な役割もあります。高齢者、子どもをもつ親、障害者などが利用しやすい環境をつくることも求められています。さらに、地方の美術館の場合は特にそうなのでしょうが、観光スポットとしても、注目されるようになりつつあり、ハード面での充実が重要視されています。景観や建築は魅力的か、立地、アクセスが好都合かなど、これらに共通しているのは、美術館の敷居を下げ、間口を広げ、利用目的の選択肢をできるだけ多く用意することではないかと考えています。

企画展に関しては、これまでの美術の型にはまらない、新しい価値観を発信することが必要になります。ただ並べるだけではなく、体験型を取り入れたり、現代的なテーマを取り入れたりと展覧会も日進月歩で変化しています。福祉的な役割については、これまでも少数の人たちを無視してきたわけではありませんが、どこまでフォローできていたのかが問われるようになってきています。色々な人が色々な楽しみ方をできる美術館であることが不可欠になってきているのです。

こうした現代のニーズを踏まえた上で富山県美術館は、二〇一七年に、移転新築をして新しい建物に引っ越しました。引っ越し後直ぐには展覧会は行わず二〇一七年三月二十五日に一部開館という形で仮オープンしています。通常美術館などの建物は、施工に使用された塗料や接着剤の揮発した溶剤が作品に悪影響を及ぼす可能性がある為、建物内部を一定期間換気する必要があります。まずは、換気を目的としながらも、一部開館というかたちで作品の無い美術館の建物をお披露目しました。加えて一部開館の期間中は新設されたアトリエで子ども向けや親子向けのワークショッププログラムを実施しつつ約五ヵ月程のプレオープン期間を終えて八月二十六日に展覧会をスタートさせました。

富山県美術館の特徴

富山県美術館は三つのテーマに基づいて活動しています。まずは、「アートとデザインをつなぐ初めての美術館」。なかなか壮大なテーマですが、「つなぐ」というのがポイントですね。二つめは、「富山の新しいビューポイントとなる美術館」。観光地として魅力的であるということです。三つ目に、「見る、創る、学ぶといった双方向で美術を体験する美術館」。さきほど、体験型の展示が重要だと話しましたが、富山県美術館はアトリエがあったり、インタラクティヴな仕掛けがあったり、屋上で遊んだりと、色々な楽しみ方ができるようになっています。

美術館の設計は内藤廣建築設計事務所によるものです。内藤さんは人の流れをつなぐことや、都

図1 3階から立山連峰をのぞむ

市のかたちをうまく使いながら環境に溶けこませてゆくのが得意な建築家だと思います。富山県美術館の建物には富山ならではの建築材料（県産材）が使われています。地場産業であるアルミや大型の板ガラス、氷見市の里山杉などです。大きなガラス窓は立山連峰の眺望の良さを一層際立たせます。三千メートル級の山並みがよく見えるようにとの内藤さんの設計コンセプトで、美術館の南東側の全面がガラス張りになっているのが特徴です［図1］。屋上にはオノマトペをテーマにした遊具が置いてあります。これは内藤さんがアートディレクターの佐藤卓さんに依頼して、佐藤さんのデザインによってつくられたものです。

他にも看視や受付スタッフのユニフォームはイッセイミヤケさんのデザインです。美術館の開館は本当に急ピッチで、時間も予算も余裕がありませんでした。そのなかで、三宅さんにおはなしをしたのですが、快く引き受けてくださいました。すてきなユニフォームのできた裏話ですね。

ロゴのデザインは永井一正さん。日本のグラフィックデザイナーの大御所ですね。前身の富山県立近代美術館の開館から閉館まで三十一年間、展覧会のポスターやカタログ、フライヤー、チケットのデザインをすべて永井さんにお願いしていました。その集大成として、新しい美術館のロゴデ

図2 富山県美術館ロゴマーク（永井一正）

ザインを依頼したのです。マークの意味ですが、全体としては富山県美術館の頭文字「T」になっていますが、上の方にある水色の二つの三角形のところが青空と雪山を、下の青いカーブのところが富山湾を表わしています。富山県は山も海もあり自然が豊かですので、それを組み合わせてつくられています［図2］。

見どころには、屋外彫刻もありますね。新しい美術館のビューポイントとなる作品として、三沢厚彦さんの彫刻を二階の屋外広場に置いています。木彫を原型としたブロンズの作品で、クマ三体とハクタカの像が一羽あります。大きいクマの原型になった木彫作品も所蔵しているので、開館の際に、一点の木彫作品と四点のブロンズ作品を購入したことになります。

富山県美術館のコレクション

美術館の収蔵作品を紹介します。富山県美術館は英語名では「Toyama Prefectural Museum of Art and Design」ですが、最後の「Art and Design」がポイントです。これらが大きく分けてコレクションの二本柱となっています。

アート部門は、二十世紀美術を中心として、絵画、彫刻、立体、版画、映像とさまざまな種類のものがあります。海外作家の作品が多いですが、富山ゆかりの作家の作品もたくさん収蔵していますす。デザイン部門は、普段の生活の中に新しい提案を投げかけたものとして、椅子とポスターに絞って収蔵しています。椅子は量産品を中心に、ポスターは戦後日本で作られたもので私たちが身近に感じられるものをコレクションしています。

他にも特徴的なコレクション群があります。その一つが、瀧口修造コレクションです。詩人で美術評論家、作品も少しつくっています。富山県の生まれで、東京で活躍されましたが、多くのアーティストと交流をもち、タケミヤ画廊というギャラリーも東京の神田で運営していました。多くの作家から信頼を集めていましたので、たくさんの小さな作品をプレゼントされています。それらを大事に保管し、自分の書斎に並べていました。一九七〇年代後半、富山県立近代美術館の開館計画時、瀧口さんは既にご高齢であったこともあり、開館に直接的にはかかわられていませんが、自分の信頼する評論家に依頼して、コレクション収集や美術館の運営方針を決めたらよいとの助言をいただきました。没後にご夫人から小品群の寄贈があり、「瀧口修造コレクションルーム」を設けました。この部屋は詩人で美術評論家だった瀧口さんにちなんで、本棚のようなつくりの展示室になっています。

寄贈作品には「シモン・ゴールドベルク&山根美代子コレクション」もあります。世界的に有名な作曲家でヴァイオリニストだったシモン・ゴールドベルクは、晩年、富山県立山町の立山国際ホテルですごしていました。彼のコレクションを没後に奥様の美代子さんからご寄贈いただき、コレクションルームをつくりました。

このように、富山県美術館のコレクションは大きく分けると四つになりますね。有名作家の作品も多くあります。フランシス・ベーコン、ジョアン・ミロ、ジャクスン・ポロックなど。ピカソの作品は版画も含めて五点あります。コレクションのレベルの高い美術館として評価されています。

TADクリエイティブ・プログラム

私の専門分野になりますが、教育普及活動について紹介します。これも先に述べた三つの指針に応じて展開しています。プログラム内容は「TADクリエイティブ・プログラム」「TADスクール・プログラム」「TAD FOR EVERYONE」の三種類です。

「TADクリエイティブ・プログラム」は創作体験が含まれるものです。「TADワークショップ」では、アーティストやデザイナーを講師としてお呼びします。たとえば、当館の収蔵品作家でもある三沢厚彦さんは、二〇一八年の秋に当館で個展を開催されており、それに伴い複数回ワークショップを行ってくださっています。他にも、塩川岳さんは、子どもたちと共同制作をした作品「キラキラ富山城」をつくるワークショップを実施して下さいました［図3］。

図3 塩川岳さんによるアトリエワークショップ

別に、美術館の自主企画で、アトリエを毎日開放する「オープンラボ」があり、人気プログラムにもなっています。土日祝日と平日で内容を変えています。プログラムの企画は職員が行いますが、平日の運用はボランティアの方にお願いしています。プログラムの企画は職員が行いますが、多数のボランティアさんが交代で運用しているので、毎日開催できるわけです。その分、平日のプログラムは簡単なものになりますね。また、ファミリー世代は大体四時頃には帰宅しますので、その時間には終了するようにしています。

土日は、学芸員一人、補助スタッフ一人、ボランティア一人の態勢で少しレベルの高いものを行います。展覧会のテーマやコレクション作品の重要なところを伝えるプログラムとして実施します。たとえば、白い丸い紙の団扇をマジックで真っ黒に塗りつぶして、そこに金色のスパンコールやシールを使って装飾をするワークショップ。これは「日本の美」という展覧会に合わせて行ったものです。漆塗りの職人の仕事や、黒地に金という日本古来の装飾の色彩を知ることができると考えてのことです。オープンラボでは、こうしたプログラムを年に七本くらい実施しています。

「アーティスト@TAD」は、富山県美術館の教育普及事業のなかでも力を入れているものの一つです。ゲスト作家を招聘して公開制作を行い、その成果を展示で見せています。第一回目の折元立身さんは美術館のオープンに合わせてのパフォーマンスで招聘しました。フランスパンを干したり、パンへの穴あけや紐通しの作業をしたり、パフォーマンスの準備を参加者と手分けをして行い、開館日に頭にパンを巻きつけた人たちが館内を徘徊する……なかなかシュールなパフォーマンスになりました。

翌年の若木くるみさんは体力勝負の作品で知られる作家です。ご自身のパフォーマンスも兼ねて富山マラソンに参加されています。当館の所蔵するピカソの《座る女》を模写した絵をもって走りました。富山県美術館からピカソの絵が飛び出して、マラソンを完走するのがテーマというわけです。若木さんは、約二百六十キロメートルの距離を走るウルトラマラソンも完走しているので、フルマラソンはそれほど大変ではないそうでした。このときは東京造形大学出身のアーティストである武内明子さんも一緒に走られました。

乳幼児とその保護者向けの「ひよこツアー」は人気の高いプログラムで、二〜三歳児向けと四〜

五歳児向けに分かれ二日間実施します。美術館で乳幼児がどのような楽しみ方ができるか、作品を見るときのマナーなどを親子にお話をして展示室に行きます。その後で、アトリエに戻って、その展示にちなんだ工作遊びをする流れです。人気の理由は、小さな子どもをもつ保護者の方は、往々にして迷惑をかけてしまうのではないかと懸念され、美術館が来づらい場所だと思われているからです。乳幼児がいても来てくださいと呼びかけてもらえると参加しやすいとの意見をもらっています。

TADスクール・プログラムとTAD FOR EVERYONE

「TADスクール・プログラム」は学校と連携しての活動です。「FIND TAD！プロジェクト」は学校が美術館を利用するときに、それが充実したものになることを目指しています。まずは、担当の学芸員やエデュケーターが学校の先生と事前の下見と打合せを行って、展示室やアトリエなどの諸室の位置を確認します。次に、展覧会のテーマをおはなししたり、要望を聞いたりしながら、プログラムをつくってゆきます。対話を用いた鑑賞がしたいとか、自由に鑑賞したいとか、工作をしたいとか、写真を撮りたいとか、お弁当を食べたいとか、学校の数だけ要望があるのです。美術館がそうした要望にいかに寄り添えるかが重要だと思っています。エデュケーターの仕事のやりがいはこういうところにあるのかなと思ったりしますね。こうした活動の後には、アンケートをとって活動内容を振り返り、次の機会にそれを生かすこともしています。

教員研修も年に二～三回くらい行っています。例年、小学校や中学校の先生向けに実施していますが、二〇二〇年度はコロナの影響でこうした研修もすべて中止になってしまいました。人数は少ないときで七人くらい、多いときで四十人くらいの先生がやってきて、作品を鑑賞したり、それにちなんだ工作をします。私はそうした研修も担当しています。

最後ですが、「TAD FOR EVERYONE」です。これはその他もろもろの活動ですね。まずはボランティア活動です。美術館ではボランティアさんに助けられることがたくさんあります。前身の富山県立近代美術館からずっとボランティアを続けている人も多いので心強いですね。ただし、仕事を手伝ってもらうだけでは育たないので、ボランティア向けの研修会や学習会も開催しています。たとえば、年に一回のマナー研修。ホテルマンの先生をお呼びして、接客についての講習会をしています。普段から行っていることでは、コレクション展でも企画展でも、展示替えがあるたびに、担当学芸員が展覧会の見どころについての説明会を行っています。「オープンラボ」の運営に関しても、工作を実際に体験してもらって、子どもたちにアドバイスできるように事前学習をしてもらっています。

「アトリエ・ドキュメント展」は他館ではあまりない事例かもしれません。アトリエでのイベントやワークショップを単に行うだけではなく、そうした活動を発表することも重要です。参加者のつくったものを展示するとか、記録映像を紹介するとか、活動内容をパネルにして掲示することなど、アトリエでの活動を一度にまとめて見ることのできる機会をつくっています。参加者も、つくったものを持って帰っておしまいではなく、美術館という公共施設で発表されると嬉しいだろうと思っています。アトリエの活動にはいろいろありますが、それに加えて、まとめて見せることも行っているわけです。

コロナ禍のなかの教育普及活動

最後に、コロナ禍における美術館活動についてです。二〇二〇年九月時点の話ですが、とくに、教育普及活動は大打撃を受けています。作品の展示はできますが、それ以外のことが全てできないといっても過言ではない状況になりました。たとえば、企画展でもコレクション展でも、展示室内でのギャラリートークを実施していましたが、密閉空間での会話にあたるので、できなくなりました。対面でのワークショップもできません。進める際のナビゲートもできないし、共用で使うハサミやノリといった道具を毎回アルコールで消毒して渡す方法も現実的には難しいと言えます。その上、運営を担当しているボランティアさんには高齢の方も多いので、不特定多数の人と接触させることはできないのです。現在の美術館の方針としては、ワクチンが普及するまでは、ボランティアさんに対面の活動はお願いできないと考えています。県外のアーティストやデザイナーに講師をお願いしてのワークショップも、県を越えての移動が危ないといわれていますので、現時点では難しいという見解です。

学校団体の受け入れもそうですね。二〇一九年度は約七十五校を受け入れましたが、今は、学芸員が団体の観覧者と接することは基本的にお断りしています。下見と打ち合わせは行っていますが、大量の児童や生徒が来場するときには、学芸員が子どもたちと接触するのは危険ではないかとの考えです。これまでは、来館者数が増えるほどよいと考えられてきたなかで、逆に、入場者を制限しなければいけない状況になっているのです。

その様な中でもできることが無いかと考えて、今年度は動画配信をやってみました。「どこでもオープンラボ」として、工作プログラムを動画で撮影して配信しています。四月から六月までの間に、毎月一つずつくらい配信しました。今後は作家によるワークショップの動画配信を二回ほど行う予定です。富山県美術館のウェブサイトを見ていただけたらと思います。

ギャラリートークもできない状況ですが、それでも展覧会を解説するツールがほしいので、自力で音声ガイドをつくることにしました。担当学芸員に書いた原稿を読んでもらって、それをユーチューブにアップしています。展覧会場内で自分のスマホで再生しながら鑑賞するスタイルを考えました。音声ガイドの貸し出しは感染につながるおそれがあるので、来館された方のもっているものを使うかたちです。

思うようにいかないことも多いですが、デジタル技術を取り入れながら、少しでもできるものはないかと模索しているのが現状です。

アートプロジェクトから美術館のワークショップへ

中里和人

長屋でのアートプロジェクト

東京造形大学写真専攻教員の中里和人です。これまで開催した美術館でのワークショップの話と、地域の中で実践してきたアートプロジェクトのお話しをします。私の場合この二つは、場所性の違いで分けることができず、どちらもフィールドワークを中心にしたデザインとアートの活動として密接に繋がっています。

二〇〇〇年の春に東京都墨田区でアートイベント「向島ネットワーク」が開催されました。そこに招待され、向島の空き長屋で写真インスタレーション「長屋迷路」を行いました。美術館やギャラリーではない場所で展示した最初の経験になります。出発点は、ＩＮＡＸギャラリー（東京都中央区京橋）での企画展「小屋　奔放な建築」に、ドイツ人キュレーターのティトス・スプリーさんが訪ねて来られたことから始まりました。この時に開催していたのは、日本全国の小屋を撮った写真展でしたが、向島でのアートイベントにこの小屋の写真のテイストで空き家を使った展示をしてほしいといわれたのでした。

実は、その時点では展示依頼をしっかり理解することができませんでした。向島の町を散歩するなかで、現場には小屋のような個性的な木造住宅が密集していて、キュレーターのオファーの意図が次第にわかってきました。アートプロジェクトは空き地や空き家の活性化がテーマで、アーティストが町や会場となる建物を読みこんで、新たな社会的な提案をする事が目指す方向でした。これまで行ってきたアプローチとはちがった、新しい写真表現の可能性があるのではないかと直観しました。

図1　アートイベント向島ネットワーク　空き長屋での写真インスタレーション「長屋迷路」（2000年）

この時は、長屋を改装して写真を展示しました［図1］。向島には太平洋戦争以前に建てられた築九十年余り経つ長屋がたくさん残っていました。日本の庶民的な木造家屋で、長屋を体感しながら、座って見るかたちにして、掛け軸風の展示を意識した畳のギャラリー空間をつくりました。

　改装する前は壁に綺麗な化粧ベニヤが貼られて今風の部屋になっていました。そのままだと長屋の歴史が感じられなかったのでベニヤを剥がすと、土壁やそこに貼ってある油紙が見えてきて、創建当時の姿に遡ることができました。同時に撮影も現場で行っていたので、町のランドスケープと長屋の歴史空間を繋げたインスタレーション作品をつくりました。

　アートイベントが始まると、地域住民の方々が次々に訪れてくれて驚きました。もちろん、アーティストや美術や建築を学んでいる学生も多く見にきてくれました。そうした人たちと一緒に空間を共有して、アートや町について語り合うのは、これまでのホワイトキューブのギャラリー展示では体験できない、ライブ感のある経験でした。このアートイベントで地域社会との密接なコミュニケーションが生まれることを実感しました。

向島で一年に二度目の参加

　二〇〇〇年の秋、同じ向島の「向島博覧会」というアートプロジェクトでも「五感工場」という写真展を行いました。地域のNPOやまちづくりの人たち、行政などもかかわった大きなイベントでした。春に行った長屋での展示に注目してくれた人たちがオファーをくれました。

会場候補のなかで空間として魅力的だったのは、東向島の大きな撚糸工場でしたが、現場には、オーナーの収蔵していたものが山のように積まれていました。片づけに途方もないエネルギーがかかるので誰も手を挙げない。しばらく経ってから、主催者にあの場所でやりたいと伝えると、彼らも私にやってほしいという。他は誰もやらないだろうから、と（笑）。

真夏に汗まみれになりながら、みんなで一緒に片づけをしました。活躍してくれたのは美術大学の学生や地元の工務店の若い方です。私も含めてみんな若くて、エネルギーがあったのですね。それでも、掃除をして空間をつくるのに三ヶ月くらいかかりました。

この工場には、自然光を取り入れるために、ガラス窓がたくさん使われていました。壁面が少ないので、写真をどのように展示するのかが課題になりました。この空間を生かしたまま、写真をきちんと見せられるように、吊り下げたブリキの板を壁面に見立てて、そこに写真を直貼りしました。その後ろ側にも空間があることも感じられる格好になり、写真だけを独立的に見ることも、工場の歴史的空間と一緒に見ることもできるようになりました。

会期中は、毎日のように、オーナーの方が機械の構造や工場の歴史を来場者に話してくれました。来た人に「何の工場ですか？」と聞かれても、私では説明できないので助かりました。初日には、そのオーナーがスーツを着て作品会場に立っておられて（笑）。「中里さん、僕は二度目の人生が来たみたいだよ」と満面の笑みでお話しされたことは嬉しかったですね。

大きな空き工場の空間を使用する

東京都青梅市でのアートプロジェクト「青梅幻視画館」は二〇〇二年です。二百坪もある大きな工場で展覧会をやってもらえないかといわれました。青梅は繊維産業の盛んな土地で、布団や枕カバーといった夜具地の生産で日本一だった時代もあります。昭和四十年代くらいまでは産業も盛んでしたが、だんだんと廃れて今では作られていません。その名残で、繁栄していた時代の工場があちらこちらにあり、そのひとつの工場が会場になりました。

蔵をギャラリーとレストランに改装して運営されている「繭蔵」のオーナー庭崎正純さんと知り合い、向島の長屋や工場でのアートイベント実践を基に、「青梅でも埋もれた空き空間（オルタナティブスペース）を、アート空間に蘇らせて欲しいので手伝ってください」と言われました。

ただ、会場に選ばれた元繊維関連工場はあまりにも大きくて、しばらくの間考えてからやることにしました。

会場構成では、「小屋の肖像」（二〇〇〇年）というシリーズの写真が骨格になりました。小屋はセルフビルドでつくられた設計図のない建築で、日曜大工的なブリコラージュの面白さがありました。

そこで、工場の中に小屋の町をつくれないかと考えました。さらに、日常のなかで遭遇する夢のような光景を集めた「キリコの街」(二〇〇二年)というシリーズの写真もモチーフになりました。空き工場に小屋を中心とした夢のような架空のまちを、セルフビルド感覚で作り出す建築的インスタレーションが始まりました。

同時に青梅の町の歴史的なランドスケープを、フィールドワーク中心に考察しました。青梅は地盤が安定していて関東大震災であまりダメージを受けず、太平洋戦争でも空襲の被害が少なく、旧青梅街道沿いに江戸、明治、大正、昭和から現代までの家並みが奇跡的に残る町だったことが分かってきました。そこから、青梅の町景観が持つ多層性に富んだ時間軸を工場内にジオラマ(幻視画)として再構築しようとしたわけでした。

最初に、仮設建築のような小屋を十棟くらい建てました。そのなかで写真のイメージと会場の架空空間とをつないでいきました。三十三メートルの中央通路空間はメインの写真構成とし、「小屋の肖像」と「キリコの街」の写真を展示しました。高い位置に北向きの採光窓があり、そこから自然光が入ってくるので、とても綺麗な光で写真を見せることができました。

古い工場空間には町でもらったトタンの塀を立て、入口付近にトラックで土砂を運び込み草を植えて夕暮れには人工蛍を点滅させました。自然と人工とが混在する空間で、視覚と身体感覚が入り混じりながら作品に触れられる手触り感の強い空間を目指し、平面である二つの写真シリーズのイメージを、立体的な会場空間に置換することに挑みました。

会期中地元の方も多く来場され、空いたまま放置されていた工場は、オルタナティブなアート空間として再生されていきました。現在では作家の工房や店として活用されています。

小屋をつくるワークショップ

小屋の写真を撮っていた経験から、自分でも小屋を建てられそうな気になり、あるキュレーターからの意見で、不要になった部材を集めて小屋をつくり発表しました。その小屋作りのことを知った目黒区美術館学芸員の降旗千賀子さんから「移動する小屋」(二〇〇二年)という建築ワークショップの依頼がきました。そこから、ワークショップを先進的に開催してきていた目黒区美術館で、学芸員の方との新たな活動が始まりました。

ワークショップ初日は、全国で撮った小屋の写真を見ながら、小屋の魅力についてのレクチャーをしました。その後、美術館周辺を散策しワークショップで使う部材探しをしました。みんな手に何か持ちかえってきてたくましい限りでした。都心の目黒では部材は拾えないと思っていただけに予想以上の展開でした。

ただ、足りない部材を探しにバスをチャーターし、私が撮影現場にしていた東京湾や江戸川河口に向かいました。漂着物や廃棄物など部材になるものを拾い集め、知り合いの銭湯の薪なども貰い受け、路線バスの通路には小屋になる部材の山ができました。

美術館のワークショップルームで、参加者を屋根や床を担当する班に分けて、みんなで小屋をつくり始めました。正確な設計図のようなものはありませんが、最初のレクチャーの時に、全員の意見を集約していたので、その青写真に沿って集めてきた部材を小屋としてブリコラージュしていきました。

班分けをする際にお年寄りから子どもまで、いろいろな年代が入るようにしたので、みんなが交代で先生になりながら、チームプレーをしていくワークショップになりました。ただ驚いたのは、建築学科の学生がトンカチやノコギリが使えなかったりするフィジカルの弱さでした。

みなさんに参加動機を聞くと、日曜大工が自由にできる場所が欲しかったという、遊び感覚で参加した人が多くいました。なかには、東京に大震災がくるかもしれないので、そのときのために小屋を建てるスキルを身に付けたいという意欲的な参加者もいて驚きました。

参加者と目的を共有する

ワークショップの参加者は二十名ほどでした。参加者の中には飛行機の設計者がいたり、建築家がいたりしたので、みんなで助け合いながら徐々に小屋が出来あがっていきました。参加者のエネルギーがたくさん詰まっているのでとても頑丈で、屋根に登れる砦のような小屋が完成しました。そこで完成した小屋には「目黒砦」という名前をつけました。

これまで墨田区向島の長屋や青梅の工場でのプロジェクト経験があったので、ワークショップでのインタラクティブな関係の中で、多様な人たちと共に作業することの経験が活きていたように思います。

また、美術館でのワークショップについて、目黒区美術館が過去に実施してきた記録を見せてもらい、いろいろなコンテンツがあることを知りました。学芸員の降旗さんが語るように「人々が場所とテーマと時間を共有して、能動的な視線を獲得するための方法論」として美術館の教育普及活動としてのワークショップが運営されていました。美術館の役割には、企画展や収蔵品展などの展覧会がありますが、もうひとつには、参加者とワークショップを通じ美術教育を共有することがあるのだと分かりました。

今回のワークショップでは、多様な個性が発揮され、年齢や性別を超えてさまざまな体験が共有されていく事に醍醐味を感じました。今回のワークショップでは、小屋を建てるという明確な目的があったので、職歴や年齢に関係なくみんながひとつの方向に向かうことができました。小屋をつくるワークショップでは、同じ場空間での体験を通じ、知識やスキル、デザインなどを駆使し、一つの夢のオブジェクトを協働していく、建築的実験でもあったように思いました。

写真によるワークショップ

二〇〇九年に、三重県立美術館で「子どもアートinみえ」というワークショップを行いました。三重県立美術館学芸員の伊藤亮子さんから、三重県の特色を活かした写真ワークショップをつくりたいと相談がありました。私は三重県出身で、三重という土地の特徴を理解していたのと、子どもと写真に関するワークショップをすることに関心があり承諾しました。

準備に一年間くらいかけた本格的なワークショップで、参加する四つの学校の選定からはじめました。三重県は自然に恵まれているので、そうした三重の特色のわかる景観を選びたいと思いました。山は津市から内陸に入ったところにある美里町、里山はサーキットのある鈴鹿、市街地は県庁所在地の津、海は伊勢志摩の石鏡という漁村を選びました。これらの学校選定は、子どもたちの撮った写真から三重県の景観資源が見えてくるだろうと考えたからです。

短い総合学習という授業時間のなかで実施する必要があったので、テーマを細かく設定していま

図2　写真ワークショップ「子どもアートinみえ」展
学校近くの神社での撮影風景（2009年）

せん。学校から歩いて行ける範囲で気になったものを撮るというテーマです［図2］。カメラはメーカーから借りましたが、広角からアップまで撮れる、しっかりとしたものでした。

撮影をした日の午後の授業では、全員の写真のなかで私の目に留まったものについて、その理由をはなしました。子どもたちにとっては、自分の撮った写真にコメントをもらうはじめての経験だったと思います。写真のことは小学校の図画工作の教科書にも載っていますが、誰も教えていない。中学校や高等学校の授業でもほとんど教えていない。先生たちも教え方がわからないわけです。だれもが気軽にスマホで写真を撮る時代なのに、写真について考えたり、撮った写真でコミュニケーションをしたりする経験がない。そうした意味で、私にとっても、子どもたちや先生にも貴重なワークショップになったと思います。

小学校と中学校の参加ワークショップでしたが、十歳以下の子どもの写真が面白かったですね。大人の顔を見て、こういう写真を撮ったらほめられるだろうとか、そうした考えがまったくない。写真では十歳くらいまでの感覚や、ものを発見する力の在処が大切なことが分かりました。

ワークショップを展示する

三重県立美術館からは「ワークショップ展」もやってほしいと依頼されていました。しかし、そもそもワークショップは体験しないとわからないし、それを後から伝えるのは難しいと考えていました。そこで思い出されたのが、二〇〇二年に青梅のプロジェクトで架空のマチをつくったことでした。

図3　写真ワークショップ「子どもアートinみえ」展　三重県立美術館の会場風景（2009年）

このときは美術館の大きな展示室を全部使っています［図3］。最初の部屋には四つの小屋を学校ごとに建てました。子どもたちの一番気に入った写真をサービス版でプリントして小屋のなかに貼り、名前と気に入った理由を直筆で書いてもらいました。見にきた人が出たり入ったり、寄ったり引いたりすることで、ワークショップを疑似体験できる工夫です。子どもたちの言葉も書いてあるので、彼らが写真をどのように享受したのかも素直な意見や感想として見えてくると思いました。

次の部屋では、一万七千カットのなかから、私がひとつの学校につき二十枚ずつを選びました。この八十枚の写真で三重県のもっている場所の力が見えるようにしたわけです。プロのラボに依頼して半切のサイズに引き伸ばし、プロの写真展と変わらない形態にもしました。それ故来場者は、子どもたちの写真展ではなく、指導をした私やプリンターであった地元写真家の写真展と間違えるクオリティーのある展覧会コーナーも生まれました。

その後、参加者の子どもたちも展覧会に訪れ、自作写真の前に佇む姿がありました。小中学校の美術教育ではほとんど教えられない写真の魅力が、彼らに少しはバトンされたのだと思っています。それはワークショップという時間と空間を共有したことが生み出す力でもありました。

別の部屋には、体感するコーナーとして、カメラオブスクラの小屋を建てています。また、路地のようなものをつくり、「猫の目、鳥の目、私の目」というタイトルをつけました。子どもたちは、台車に乗って低い位置から撮る、一脚の長い棒の上にカメラをつけて撮るなどの遊びもしていたので、高い所や低いところに窓を切って、そこから美術館のなかを見ることができるようにしています。この部屋にはワークショップの記録動画も展示しました。

「子どもアートinみえ」では、県立美術館の四室を巡ることで、三重県の多様なランドスケープを見ながら子供たちの記憶を辿り、ワークショップを追体感できる展示空間を建築しようと試みました。

場所の記憶を喚起する

最後に紹介するのはドイツのベルリンでの展覧会です。ベルリン郊外にあるマルツァーン地区という旧東ドイツのエリアにある美術館Schloss Biesdorfで行われたものです。

イベントタイトルは「ソフト・シティ」。都市の大半はビルやインフラなどのハードでできていますが、それを支えている根幹には人間の感情や精神、コミュニティーの繋がりがある。それぞれのアーティストが、団地という味気ない土地や景観を読み込み作品化していくのがコンセプトでした。

実際のところ、このエリアにはものすごく巨大なニュータウン群があり、同じような無機的な光景が三駅ぐらい続いているので辛かったですね（笑）。それでも、フィールドワークで撮影を繰り返していくうちに、徐々に現場にアプローチする方向性が見えてきました。

ドイツと日本の七人ほどの作家と一緒に展示をしました。

私は屏風のような衝立の作品をインスタレーション展示しました。撮影したのは団地一階の建築物のコーナーです。住んでいる人が通勤や通学で毎日のように通過するところです。建てられた年代の違いが団地のデザインに表われているところをタイポロジーの手法を引用して撮りました。この団地に住んでいる人であれば、自分の団地だとわかるはずです。それを集めることで、一見無個性に見える団地の記憶を喚起させ、この街を改めて思い起こしてもらうことを試みました。衝立の四面を二枚ずつに分けたので、全部で八面（表裏で十六面）になりますが、外側の八面は、団地コーナーの景観を日常の光として表現しました。

一方で内側には、真黒な背景にたたずむオブジェクト写真を展示しました。団地の撮影過程で路上に捨てられていたオブジェクトを拾い、それらを幻灯機に入れてプロジェクションした映像を撮影しました。こちらは、そこに住んでいた人の記憶の痕跡を非日常的手法で浮上させました。

図4「SOFT CITY」ドイツベルリンのマルツァーン地区美術館での、写真インスタレーションと茶会パフォーマンス（2018年）

高さ二メートルの屏風風衝立作品の表と裏で、マルツァーン地区の光と影として、建物とゴミを通した記憶の合わせ鏡のように構成しました。

衝立のなかの空間がほどよい大きさだったので、屏風写真の中に仮設茶室を作り、展示制作で協力してもらったベルリン芸術大学の松崎清乃さんに、茶会をしてもらいました［図4］。

その茶会には多くの来場者が参加し、ランドスケープ写真（視覚）とお茶（味覚）とが融合し、自発的なコミュニケーションを誘発させるイベントになりました。

これからのアーティストに伝えたいもの

二〇〇〇年から現在まで、写真を基軸に各地でのアートプロジェクトやワークショップを実践してきました。

アートプロジェクトの地域や場所は、東京都墨田区向島の長屋、東京都青梅市の工場、山梨県富士吉田市の元美容院、新潟県十日町市の元小学校など、美術館でないオルタナティブな場が多く、ドイツベルリンの美術館でも、東ドイツ時代に建築された広大な団地景観を読み解くという、場所の歴史性や固有性を読み解く、サイトスペシフィックの手法を大切にしました。

美術館のワークショップを見てみると、目黒区美術館での建築ワークショップでは、建築する小屋の部材集めを野外活動で行い、三重県立美術館での写真ワークショップでは、協力してくれた小中学校の生徒たちと学校周辺を歩きながら風景を観察し、生徒にゆかりある土地での記録と記憶の再発見ワークをしてもらいました。

地域でのアートプロジェクトや美術館でのワークショップにおいて、どちらもフィールドワークを中心に、場所が持つ歴史性や景観特性をその土地のローカルな個性、バナキュラーなランドスケープとして捉え、ヒューマンスケールから見え出す原風景を大切に展開してきました。

現代の都市景観や生活スタイルが画一化されていく高度情報化社会にあって、ローカルな場の個性や、個人のかけがえのない記憶を視覚的な空間にアウトプットとさせることから、未来社会に提案できるランドスケープデザインが生み出されてくるものと考えています。

価値観への問いかけ
—ワークショップから鑑賞者・作家・美術館との関係性を考える

前沢知子

アーティストとしての活動

東京造形大学の絵画専攻の卒業生で、前沢知子と申します。今日の講義の流れですが、まず、作家としての活動を紹介します。次に、美術館でのワークショップの話を、最後に、鑑賞者との関係性についての話をしていきます。

私は一九九七年に大学卒業後すぐに作家活動をはじめ、その後、台湾やフランスなど海外での滞在制作を行いました。二〇一五年に横浜国立大学大学院修士課程に進み、現在は東京学芸大学大学院博士課程に在籍しています。

在学中から、写真を使った作品などを制作していました。たとえば、自然のなかにある狭い隙間や、建物のコンクリートのひび割れに糸を詰めて撮ったりしたものです。展示の際には、鑑賞者が寄っ

図1「砂、崖、草、蝉の抜け殻、溶岩、石、壁、苔、ドラム缶、小屋」60枚組写真　2000年　和歌山県立近代美術館　所蔵

たり引いたり、動きながら見ていくために、クローズアップしながら撮った写真を格子状に並べています。《六十枚組写真 砂／崖／蕗／蝉の抜け殻／石垣／石／非常口／草／ドラム缶／小屋》（一九九九年）［図1］は、現在、和歌山県立近代美術館の所蔵になっています。

《ギャラリーαMにて，2000》（二〇〇〇年）は、吉祥寺にあったギャラリーαMという、武蔵野美術大学が運営するギャラリーで展示をした作品です。東京のギャラリーは空間が狭いので、場所を有効活用するために、建物の壁・窓と、展示用の壁の間にできた隙間に、棚がつくられているのを見かけます。ここでも同様に隙間に本棚が設置されていて、大学や美術関連の書籍や雑誌が置かれていました。私はその壁をほんの少し動かしました。窓からの光が差し込んでくるのと同時に、書名などを通して、美術史や場所の歴史なども垣間見えてくることを考えた作品です。

鑑賞者の行為を引き出す作品

通常は、作品が展示されていて、来場者がそれを鑑賞する形式になっています。しかし、私の場合、来場者が積極的に関わることで、作品が成立・現出することが特徴です。私の作品テーマは「認知や認識」の問題なのですが、来場者の関わり方として、「行為」「知覚」「知識」という三つの方法論をとっています。このうちの「行為」が今日のメインの話になります。

「行為」を作品に取り入れるきっかけになったのが、二〇〇〇年のアーティスト・イン・レジデンスで制作した作品です。フランスのモンフランカンという中世の城塞都市に数ヶ月間滞在して作品を制作しました。周囲がひまわり畑になっている、とても素敵な場所です。当時はまだフィルムカメラの時代でしたが、来場者（鑑賞者）がカメラをもって、街のなかを歩いて、自分が作品だと思ったものを写真に撮ってもらう、「私の作品を見つけてください」という作品です［図2］。

図2「私の作品を見つけてください」 フランス モンフランカン、スパイラルガーデン（東京）他　2000年　アート・スコープ2000「前沢知子」展

街のお店の前など数ヶ所に黄色いボックスを置いて、自由に使ってもらいました。そこで子どもが遊んでいる様子などを撮ってもらう感じです。ただ、自由に撮影してもらうので、このボックス以外のものも、いろいろ撮影されてきます。景色であ

ったり、一瞬のシーンであったり、自分の家であったり。それらの写真をプロジェクションやポストカードなどにして展示をしました。このときは日本で交換展示をすることになっていたので、展示会場のスパイラル・ガーデンのある青山周辺でも同様に行いました。

その翌年には、川崎市市民ミュージアムでも同様に行っています。参加の方法は、ワークショップの形式でしたが、やはり、ミュージアムの周辺を写真に撮ってもらっています。このときは、撮影された写真は、展示室内でのプロジェクションと額装にして展示しました。参加者が撮影した写真を私がピックアップをして、テーマを揃えて構成しました。このときには、川崎で撮ったもの、フランスで撮ったもの、青山で撮ったものをミックスして入れました。世界中各地で様々な人が撮っても、同じような画面つまり視点や思考が出てくるので、このように構成できるわけです。

二〇〇三年に原美術館でワークショップと展示を行ったときも、同様に行いました。ワークショップに参加した人が撮影した写真には、例えば、黄色いボックスを構成したような写真が複数あり、同じような視点や思考の写真が出てきます。それを私が構成しています。

ワークショップの分類

私は作家ですので、美術館との関わり方としては、作品の展示のほかにには、ワークショップ、講座、公開制作があります。教育普及としては、シンポジウムやギャラリーツアーなどのトークもあります。ほかにも、非公開の制作もあり、美術館をアトリエ替わりにして制作します。このうちの、ワークショップと公開制作についてお話しします。

ワークショップは二〇〇〇年頃からさまざまな場所で行ってきて、三百回程になります。今日では頻繁に行われていますが、当時は、美術館でもワークショップはあまり行われていない状況でした。

私が行ってきたワークショップは、目的の違いによって、「美術」、「教育」、「福祉」、「企業」に分類できると思います。「美術」は美術館などでの展覧会に関連した制作と鑑賞に関するワークショップなどです。「教育」も制作と鑑賞に関連しますが、異なるのは、子どもの育成、社会・生涯教育としての学習などに重点が置かれることです。学校や社会教育施設のほかに、幼稚園や保育園で行うことも多いです。「福祉」には支援という観点も重要になり、リフレッシュ・余暇活動などの要素もあります。障がい者施設や育児支援施設、NPOなどで行っています。「企業」では、「知の創造」「アート思考」など、発想や思考の転換を導くものとして行っています。

プロモーションとして新商品の様々な使い方を提案するワークショップもあります。さらに、二〇二〇年になって、オンラインが加わりました。私がオンラインで画期的だと思うのは、これまでワークショップに、様々な理由で参加できなかった人が参加できるようになったことです。アートが届いていない人々を顕在化させるという点では、大きな可能性があると思っています。

教育普及としてのワークショップ

私が美術館で行っているワークショップの種類は、教育普及、展覧会広報、作品の三つに分けられます。教育普及のなかには「美術を普及するもの」と「美術館を普及するもの」がありますが、その両方に関わってきました。

たとえば、二〇〇九年に三鷹市芸術文化センターで実施した「描いて積んで―おもいっきり空間体験」などです。ここの展示室は普段は三分割されていますが、可動壁を取り除いて、大きな空間をつくりました。二十五メートルプールよりも大きかったと思います。ここで体と絵の具を使って空間にドリッピングをしました。

このワークショップは親子を対象にしたもので、参加者が絵の具の入ったビニール袋を持って大きな紙の上を歩いたりするものです。展示室には柱が何本かありますが、子どもの行動特性からそこでもやりたがるだろうと思ったので、柱に紙を巻いてできるようにしました。同様に積み上げたくなるだろうと考え紙の箱も置きました。実際には、子どもは積み上げるだけでなく、箱をつなげてトンネルをつくったり、組み合わせて家をつくったりしていました。子どもは「絵の具の家」と名づけていましたね。

飯田市美術博物館の「美博まつり」でのワークショップでは大きなマーブリングなど共同制作やインスタレーション制作などを行ったりしています。これも教育普及のイベントで、年に一回実施するものです。全館あげて、それぞれの分野を普及するというイベントです。毎回、千人くらいの来場者があります。リピーターが多いので、毎年やっていると、年に一回会う親戚みたいな感じになってきます。「大きくなったね」とか、「下のお子さんが生まれたんですね」とか、そんな話をしながら行っています。会場は地域のお祭りのようなイメージでセッティングします。美術館の空間はクールですよね、壁が白くて、天井も高くて。アットホームな雰囲気が出るようにセッティングを工夫しています。

こうした美術館での教育普及のワークショップには、三つのポイントがあると考えています。まず、美術館がなにを目的としているかです。そこでは丁寧な打ち合わせが必要になります。次に、ボランティアを含めたスタッフの満足度を高めることです。その場に存在する全ての人の満足度を高めます。そのためには、スタッフが主体的に関与できるような方法論が必要になります。最後に場づくりですね。地域の状況などを把握して、地域住民が参加しやすい状況や条件をつくることを心がけています。

前沢知子

展覧会広報としてのワークショップ

展覧会広報としてのワークショップとは、展覧会のイベントとして実施するという意味です。展覧会と連動した内容で行うことになります。

二〇一三年に世田谷美術館で行った「ばらのおくりもの」は、「暮らしと美術と高島屋」展という、デパートを取り上げた展覧会に連動したワークショップです。バラがデザインされた高島屋の包装紙からネーミングしました。高島屋や様々な包装紙を使って、ハガキにコラージュして、そのハガキを郵便でだれかに送るという内容です。

『こども美術大学』―自分を表す/私コレクション」(二〇一二年)も世田谷美術館でのワークショップです。「対話する時間」展というコレクションの展覧会に連動したものですが、美術館ではなく、参加者自身つまり「私」のコレクションを展示しましょうという意味です。世田谷美術館の教育普及活動のなかに、「美術大学」という年間を通して行っている大人向けのプログラムがありますが、これは、夏休みの子ども向けの「美術大学」です。

私はワークショップがきっかけとなり、世田谷美術館の鑑賞リーダーもしています。世田谷区では公立の小学四年生は、全校が美術館での鑑賞教育を行なっています。現在は、学習指導要領に記載され、学校教育でも鑑賞が重視されるようになりましたが、世田谷美術館はこのような鑑賞教育に日本で最初に取り組んだ美術館です。こうした活動の経験値からその方法を援用しています。

はじめに学芸員の方が美術史について説明し、次に、展覧会を鑑賞しました。その後、創作室に戻って、ドリッピング、コラージュ、グラデーションなどの基本の制作技法を体験しました。「子ども美術大学」というコンセプトなので、丁寧に学んでゆく過程をとりました。

このワークショップでは、子どもたちが自分の大切なものを家からもってきて、それを作品として構成して展示するのですが、アッサンブラージュのように、立体をコラージュするかたちを目指しました。最終的に完成したものを、美術館のなかで、本物の展示台の上に置いて、タイトルをつけて展示をしました。展示で使う保護用のアクリルケースも使いました。「対話する時間」展でのコレクションというものを理解するために行ったワークショップです。

私自身の展覧会でのワークショップもあります。駒ヶ根高原美術館での「私と（私）がつながっていく」（二〇一四年）という個展で「スポットでつながる」と「五感でつながる」というワークショップを行いました。

「スポット」の方は観光地でつながります。美術館の目の前が水仙の名所で、背景にある南アルプスも含めて観光スポットでした。このワークショップは、写真を自由に撮って、発表して、プリントして、額装して、思い出を持ち帰るという内容で、観光地によって、地域と作家と参加者とがつながります。

また、「五感」でもつながります。この地域の素材をいろいろ集めてきて、視覚ではなく、味覚・臭覚・触覚など五感で感じたものを体験して描いてもらいました。たとえば、ミントの香りなどを用意しましたが、それは、この地域に薬酒で有名な会社があることに由来します。香りから柔らかさをイメージして、黄色い暖かい色合いで描いたりしていましたね。ほかにも、紙袋のなかに手を入れて中の「(地域の)物」を触り、その触感をイメージして描くことや、目を閉じて(地域の)飲料水を飲んだときの味覚を描きました。この地域は名水で有名でそれを用いましたが、水道水とのちがいなどに話が広がっていったのが面白かったですね。このように五感によって地域と作家と参加者がつながります。

このワークショップには、食べたり飲んだりすることが含まれているので、アレルギーのチェックなど、事前に注意を払って行いました。

作品としてのワークショップ

作品としてのワークショップには、大きく分けて三つのタイプがあります。一つ目は、参加型作品で、作品自体に参加してもらうもの。インタラクティブな作品ですね。二つ目はワークショップと展示を一体化にしたもの。そして、三つ目は公開制作です。ただし、私の場合、単に公開するということではなく、来場者とインタラクティブな関係をつくりながら制作しています。

こうしたやり方は私独自のものではないかと思います。ワークショップをして、できた作品の原型がわかる形で展示するアーティストの方や、制作に協力してもらうアーティストの方もいると思います。私の方法が異なるのは、ワークショップで出来たものの本質や要素を再構成して作品にすることです。先程フランスなどで行った、参加者の撮った写真を再構成して作品にする話をしましたが、それと同じ考え方で、「共同や協働」だけではなく、「価値や認識」を交換していくことを重視しています。

二〇〇一年に水戸芸術館で「フリーマーケット・オークション—日常の目利き」というワークショップと展示を行いました。ここでは水戸芸術館で行われていたフリーマーケットを用いました。最初に、参加者がフリーマーケットで物品を購入して、それを展示室で作品として展示します。次に、展示したものを広告風に「ブツ撮り」で撮影して、最後に、展示されたものをオークションで落札してもらうという流れです。参加者には、商品／作品という交換を通して価値観について考えてもらうことがねらいですが、参加する過程で愛着が出て、売らずにもち帰ったケースもあります。

私自身も黒いスカーフを百円くらいで買って、それをくるくると巻いてオブジェみたいにして展示したら、五千円で売れていました。

二〇〇三年に東京オペラシティアートギャラリーで展示した「私は見ています」という作品では、参加者にガードマンになってもらっていました。会期中に、ガードマンを募集して、グループ展の会場を巡回してもらいました。見るということを問いかけるもので、鑑賞者に直接に関わってもらう作品ですね。綜合警備保障という会社にご協力いただき、制服を借りていますが、「前沢知子セキュリティ」というワッペンを私が作成しそれをつけました。

ダミーの監視カメラも会場内に設置しています。この監視カメラは会場内のモニターに接続されていて、そのモニター自体が入れ子のように映る格好になっています。モニターに映っている監視カメラの画像には、そのモニターを見ている（鑑賞している）来場者自身の姿が映っていることになります。しばらく見ていると、そのことに気づくという作品です。

《組替え絵画》の方法と展開

《組替え絵画》は、先程紹介した、三鷹でのワークショップと同じタイプです。これも教育普及で行うことが多いのですが、同時に展示作品をつくることも目的としています。ワークショップ終了後の、制作過程を紹介しますが、これは非公開の部分になります。
まずは乾燥させます。次に、それを裁断します。この裁断は美術館の所有している額などのサイズに合わせて切っているだけです。破れたところなどを取り除いて、同じサイズに整える感じで、特別の意図は入れずに整理していきます。そこから再構成するときに使うパーツを選び、最終的には、状況に合わせて展示することになります。「どのパーツを選んで、どのように空間に構成して展示するか」という部分だけが、私が主体的に行っていることになります。

《組替え絵画》は場所に合わせて変化していく作品なので、展示のフォーマットも変化しますが、すべて同じ作品といえます。飯田市美術博物館では、二〇〇八年以降、十年間程このシリーズを行っています。二〇一一年に飯田市美術博物館で展示した作品を再構成して、上野の森美術館での「VOCA展」(二〇一二年)に出品しましたし、青梅市立美術館での展覧会(二〇一一年)には同じ作品の違うパーツを展示しました。別のワークショップから制作したものを、八王子市夢美術館の展覧会(二〇一二年)ではスクリーン状にして展示をしています。

埼玉県上尾市での展覧会に出品した《組替え絵画―in/out 2014》(二〇一四年)は、カーテンのようなかたちで窓際に設置して、人が出入りでき、風でたなびくようにしました。二〇一八年に、埼玉県立近代美術館でも同じタイプの展示をしましたが、こちらは所蔵品であるロダンの彫刻《ウスタ

図3「組替え絵画2020」　茅野市美術館（長野）　2020年「シンビズム3」展

ッシュ・ド・サン＝ピエールの頭像》の前に吊り下げています。カーテンというフォーマットを用いることで、「場」や「作品」など意味や役割・見え方の転換を図っています。

茅野市美術館での「シンビズム３—信州ミュージアム・ネットワークが選んだ作家たち」（二〇二〇年）には、暗闇の空中で色彩が光を放つように、吊り下げた状態で展示をしました。同じタイプのワークショップの成果物から制作していますが、それを蚊帳というフォーマットを用いて制作して、来場者も中に入って鑑賞できるようにしています。中では、ワークショップから作成した映像を流しました［図3］。これらはすべて同様のワークショップでつくりましたが、私は出来上がった画面に手を入れているわけではなく、ワークショッププログラム構成とフォーマットを変えてゆくことだけをやっています。

鑑賞者との関係性をつくる

私が鑑賞者との関係性を重視するようになったきっかけが、国立国際美術館での「空間体験‥《国立国際美術館》への六人のオマージュ」（二〇〇〇年）です。この美術館がそれまで行ってきた展覧会のカタログ全部が入るサイズの棚を、館内の十一ヶ所に設置して、そのカタログを見ながら空間をイメージしてもらうことを行いました。美術館の空間は、作品を展示するだけではなく、美術史をつくってゆく空間でもあると考えたからです。鑑賞者が直接カタログを手に取って、この空間の意味をイメージすることで成立する作品です。

二〇二〇年には府中市美術館での「メイド・イン・フチュウ 公開制作の二十年」という展覧会に出品しました。府中市美術館には公開制作のためのスペースがあり、継続的に公開制作を行っています。私は二〇〇一年に行いましたが、そのときに制作したのが「私の作品を聞かせてください」という作品です。公開制作室は制作する作家の私的な場と鑑賞としての公的な場とが混在した場所です。そこに美術館内のバックヤードなどにあるものを集めてきて、会場に放置したり展示したりしました。そのような場で来場者に「私の作品を聞かせてください」と、どういうモノ・コトを作品と思うのかをインタビューしました。みなさんはご自身が考える「作品とは何か」、「美術とは何か」、そして「日頃感じている想いや悩み」などご自身の話をしていきます。私がそれを再構成して展示しました。二〇二〇年の作品では映像作品を展示して、会場とオンラインでのワークショップで行ったインタビューから作品を制作して展示しました。
動画作品としてユーチューブに、またインスタグラムとワークショップと展示を連動した「インスタ作品」としてインスタグラムに公開していますので、ご覧いただければ幸いです。

前沢知子

第三章　地域とともにある

美術館の機能と役割──「これまで」と「これから」

菅　章

大分市美術館の概要と収集の現状

大分市美術館長の菅章です。まずは、大分と大分市美術館の概要説明からはじめます。

大分は九州の北東部に位置しています。アクセスがあまりよくないので、来られたことのない人も多いと思いますが、瀬戸内海に面した温暖な気候で、食べものも美味しく、シイタケ、スッポン、フグ、城下カレイ、カボスなど、県産品が豊富です。

一九九九年二月にオープンした大分市美術館は、市街からほど近い上野丘公園の森（約十三ヘクタール：東京ドームの四倍の広さ）のなかにあります。標高七十三メートルの小高い丘からは森、市街地、別府湾が一望できます。アースカラーの外壁が自然と調和し、ガラス越しに自然を感じることができる開放的な建築です。設計は世田谷美術館などを手がけた内井昭蔵さんです。

美術館の基本的な活動としては、収集・保管、展示、調査・研究、教育普及、広報（情報）活動などです。これは博物館法に記されていますし、文化庁のホームページにも書いてあるように、いつの時代でも変わらない美術館の柱だといえるでしょう。今回は収集、展示、教育普及、広報活動などを中心にお話いたします。

まず収集です。美術館には収集方針が必ずあります。大分市美術館の場合、四つの柱があります。一番目が、江戸時代の文人画をはじめとする大分市ゆかりの作家の優れた作品。二番目が、美術史的展望に立った、近現代を中心とした芸術的に価値のある内外の作品。この二番目の収集方針は大雑把ですが、これを設けておく必要があります。幅を持たせることで、これだと思う作品が出てきたときの安全弁の役割です。三番目が、将来的な方向としての環太平洋地域の美術。アメリカの西海岸からオーストラリア、東南アジアも入りますから、これもかなり幅が広いですね。そして四番目が歴史的文化遺産としての貴重な美術資料です。

大分市美術館は三千二百点以上の作品を収集してきました。もちろん、現在も続けています。他館では収集予算が全くなくなったという話も聞きますが、これは美術館にとって由々しき問題だと思います。今生まれている素晴らしい芸術をタイムリーに収集できないのは致命的です。大分市美術館は、開館以来、美術品収集を美術館活動の中枢に据え、財政当局や議会の理解を得ながら、収

図1　田能村竹田《暗香疎影図》1831年　大分市美術館 所蔵

集の予算を確保してきました。もちろん開館前後ほど潤沢な予算はありませんが、調査を基に計画的な収集を行っています。

当館の主な作品収蔵品ですが、まずは田能村竹田をはじめとする江戸時代後期の豊後南画。特に帆足本家伝来の田能村竹田の《暗香疎影図》［図1］をはじめとする国指定の重要文化財二十六件四十五点を一括で収集したものが、核になっています。近代の日本画では福田平八郎や高山辰雄、洋画では佐藤敬、宇治山哲平などの作品。現代美術では吉村益信をはじめとするネオ・ダダの作家たち、工芸の分野では生野祥雲斎の竹工芸などが代表的なものです。

大分市美術館の企画展

次に展示（展覧会）です。展覧会の運営をするうえで、成果や結果責任はつきものです。この成果の指標として一番わかりやすいのが観覧者数です。もちろん、芸術的な価値は別にあって、人気があるから価値があるというわけではありません。しかし、公立の美術館は税金を使って運営・活動しているので、市民が収めた税金が適切に使われているかが問われます。優れた展覧会を開催するだけではなく、同時に、ステークホルダー（来館者、愛好家）に向けた運営を考える使命があるのです。

これまで開催した主要な展覧会を紹介しましょう。美術館がオープンする前ですが、一九九八年にアートプラザという旧大分県立大分図書館（磯崎新設計）をリノベーションした文化施設で展覧会を行いました。大分市出身の建築家、磯崎新さん（東京造形大学の校舎の設計者でもある）及び関係が深いネオ・ダダのアーティストを紹介する展覧会でした。美術館の開館記念展は翌一九九九年の「田能村竹田と上方文化」でした。収集の核にもなっている竹田と、彼が見たであろう上方や江戸の作品を中心としたものです。

二〇〇〇年には、ネオ・ダダの中心作家吉村益信の展覧会を行っています。この人も大分出身です。ネオン・アートの作品や豚の剥製と人工樹脂製のハムを組み合わせた作品などで一世を風靡しました。二〇〇二年の「アート循環系サイト」は五万人の観覧者があった現代美術の展覧会です。十八名の作家を招待して、美術館だけでなく、昔の軍需工場や遺跡の発掘場所など、十四ヶ所で展示を行いました。この年はサッカーの日韓ワールドカップ大会がありましたので、まとまった予算を確保できました。

二〇〇八年に開催した、大分出身の日本画家である「福田平八郎展」も重要な展覧会です。大分国体があった年でした。全国的にいえることですが、この時期になると予算が少なくなって、大規模な展覧会が難しくなってくる。そこで、美術館の周年記念とか、国体記念やワールドカップの記念といった機会をとらえて、比較的大規模な展覧会の開催を目論むわけです。国体と福田平八郎は直接関係ないのですが、大分に人が集まる機会だからこそ、多くの人に見て欲しい展覧会をやるというわけですね。福田の琵琶湖の波を描いた《漣》は近年重要文化財に指定された代表作で、この作品も展示しました。

図2 テオ・ヤンセン展の会場　2011年
大分市美術館

二〇一一年の「テオ・ヤンセン展」〔図2〕では約十四万人の観覧者がありました。大分市美術館としては、観覧者数が最多の展覧会です。東京お台場の日本科学未来館で開催されたのが国内最初で、その次が大分でした。科学的な要素もありますが、われわれは美術の展覧会として見せました。元々、美術と科学は同じもので、それがギリシア語の「テクネー」やラテン語の「アルス」です。芸術と科学が技術と一緒になっていた、その原点を知るという意味で取り上げました。その後長崎県美術館、三重県立美術館、札幌芸術の森美術館に巡回しています。

彫刻では、佐脇健一（大分大学教授）の展覧会を二〇一二年に開催しました。風景彫刻など、俯瞰的に見るような彫刻が特徴ですが、次第にインスタレーションともいえるスケールの彫刻に変化してゆきます。空間に対する感覚に優れた作家で、素晴らしい展示空間が実現しました。

二〇一三年の「草間彌生展」は巡回展ですが観覧者が十万人を超え、芸術的価値も高いという意味で成功した展覧会でした。こうした観覧者数上位の展覧会はほとんど夏休みの開催です。理由は、親子連れで来館するためです。当館は子どもが無料ですので、子どもに人気のある展覧会は観覧者数で実績を挙げられることになります。館長の立場として、芸術的な価値をしっかり伝えるだけでなく、経営的な視点をもつことも大切なわけです。

二〇一四年の「赤瀬川原平展」。赤瀬川は四歳から高校入学の頃まで大分市に住んでいました。ネオ・ダダ、ハイレッド・センター、千円札裁判、漫画、小説、超芸術トマソン、路上観察など、多彩な人です。その原点が大分にあったのではないかという視点で紹介しました。この展覧会は千葉市美術館と大分市美術館と広島市現代美術館の三館で共同企画したもので、美術館連絡協議会から美術館カタログ賞を頂きました。観覧者は多くはありませんでしたが、こうした価値のある展覧会を地道にやっていくことも美術館の務めです。

教育普及活動と広報活動

教育普及活動については、三本の柱を立てています。一般向け講座、子どものための講座、市民協働による講座です。一般向けでは、特別展関連の講座、芸術・文化に親しむ講座、アートカレッジという市民向けの大学講座のようなもの、そして実技講座があります。子ども向けでは、子ども講座、親子鑑賞教室、美術館出前教室があります。市民協働のものでは、地元の音楽アーティストに美術館で演奏してもらっています。また、美術館ボランティアを養成していますので、展示解説や資料整理、ワークショップの手伝いなど、さまざまにサポートしてもらっています。

子どものための講座は夏休みやゴールデンウィークが中心です。「万華鏡をつくろう」とか、いろいろなプログラムを組んでいます。出前教室では、あまり高価なものは無理ですが、美術館の所蔵している本物の作品を学校にもって行きます。市内でも美術館から一時間くらいかかる場所もあるので、そうしたところに出かけて、美術館の活動や素晴らしさを知ってもらい、美術館にも来てくださいとお願いするわけです。

それから、広報（情報）活動です。博物館法には広報活動のことは明記されていませんが、近年では、美術館に足を運んでもらうための重要な活動になっています。ポスターやフライヤーなどのほかに、紙媒体では、市報、新聞の報道記事、雑誌の紹介記事などがあります。市政記者クラブに情報を投げ込んで、取材に来てもらうよう依頼します。テレビでCMを流すこともあります。それとウェブサイトやSNSですね。

さまざまなターゲットに向けて、その層にあった媒体を選んで展開することを考えています。そのため、展覧会ごとにメインターゲットを想定する必要があります。その上で、今回の展覧会はテレビ向けだとか、新聞だとか、あるいは、コアな層に向けてフリーペーパーでやろうとか、広報戦略を考えることになります。マスコミとのつき合いをうまくして、しっかり取り上げてもらうことが重要になります。

まちづくりと美術館

近年では、美術館のなかで活動をするだけでなく、地域全体で、アートへの関心を高めてゆくことが大切になってきました。特に地方美術館の場合、外に向けて発信する活動が重要です。将来的な展望も含めて、美術館を取り巻く現状と課題をしっかりと押さえる必要があります。

狭い意味での「文化政策」から、広い意味での「アート戦略」が必要になっているといえます。「文化政策」といった場合、文化や芸術のなかで自己完結してしまう傾向があります。学芸員もそうです。専門性が高い仕事ですので、自分の専門領域をしっかり研究することは重要ですが、それだけでは広がりをつくることができない。これからは、創造産業、経済振興、教育・福祉、医療・健康、まちづくり、地域再生、観光などに向けたアプローチが必要になってきます。これが「創造都市」という視点で、吉本光宏（ニッセイ基礎研究所芸術文化プロジェクト室室長）さんが語っていることです。私は、美術館が「文化政策」のなかからはみ出してゆく姿勢が必要であることを加えたいと思います。これからは、「文化政策」を超えてまちのなかに入ってゆくことが求められるといえるのではないでしょうか。

近年、経済界でもアートを活用して、観光や産業を活性化しようする動きが出てきています。美術館のなかで活動しているうちは、そうした動きとはあまり直接的な関係はないのですが、私の場合、美術館長の立場から「アートを活かしたまちづくり」という大分市の事業をお手伝いしています。そのなかに「創造都市」という概念が登場します。都市を芸術や文化で創造的にすることで価値を高める。産業でも「創造産業」という視点が出てきています。そうした意味で、地域社会のイノベーションの拠点としての役割を果たしてゆくことも美術館の役割のひとつとして出てきたのではないかと思います。

佐々木雅幸さんは「創造都市」研究の日本での第一人者ですが、彼の『創造都市への挑戦』という著書に次のようなことが書かれています。「創造都市とは市民の創作活動の自由な発揮に基づいて、文化と産業における創造性に富み、同時に、脱大量生産の革新的で柔軟な都市経済システムを備え、グローバルな環境問題や、あるいはローカルな地域社会の課題に対して、創造的問題解決を行えるような『創造の場』に富んだ都市である。」

地域おこしにアートを活用する事例を最近はよく耳にしますが、「創造経済」という考え方も出てきています。経済学者のピーター・ドラッカーが「経済の基礎となる資源は、資本、天然資源、労働ではなく、知識である」として、「基礎知識経済」という考え方を提唱しました。さらに、チャールズ・ランドリーは「知識や情報は創造性の道具や材料に過ぎず、現代経済の本質は『知識経済』ではなく『創造経済』である」と唱えました。美大生に経済学の話はあまりなじみがないかもしれませんが、こうした動きがあることを知っておくのも大切かと思います。

「混浴温泉世界」や「国東半島芸術祭」などのプロジェクトを実施したＢＥＰＰＵ　ＰＲＯＪＥＣＴという組織がこのランドリーを別府に呼んでシンポジウムを行いました。衰退してゆく都市は、鉄鋼業や造船など、重工業で発達したところが多いですが、そうした場所では発想の大胆な転換が必要になる。そこで「創造産業」という概念が出てくるわけです。こうした考え方はイギリスが先進地で、トニー・ブレア元首相もそうした政策を行っていました。この観点からは、いろいろな分野の知的財産の開発や活用による、福祉や労働の創出の可能性を発見できます。最近では、ＡＩの登場によって今までの仕事が成り立たなくなるという話も聞きますが、クリエイティブなものは人間の方に優位性があります。そこで、芸術やデザインの重要性が注目されるわけです。

大分市の場合ですと、「アートを活かしたまちづくり」を推進する組織ができて、私もその活動に関わってきました。大分では、二〇一八年に国民文化祭、障害者芸術・文化祭、二〇一九年にラグビー・ワールドカップの日本大会が大分市でも行われ、二〇二〇年にはオリンピック・パラリンピックが予定されていました。この機に、地域や市民、産業や企業が文化芸術によってよりよいものになるまちづくりをしようと考えたわけです。残念ながら、オリンピック・パラリンピックは延期になりましたが、ラグビー・ワールドカップまでは非常に効果が上がっていました。コロナ禍という新たな課題も出てきていますが、今後も「アートを活かしたまちづくり」の基本方針は大きくは変わらないと考えています。

まちなかでのアートプロジェクト

二〇一三年頃から、大分市が大きく変化してゆきました。百年に一度の都市の顔づくりということで、二〇一五年にはＪＲおおいたシティが開業、同年には大分県立美術館（ＯＰＡＭ）もオープンしました。アートの盛んな刺激的な都市になってきたのにはこうした背景があります。美術館が地域のなかでなにができるのかは、そのなかでの問題になってくるわけです。美術館も淡々と展覧会をやっていくだけではなく、外側の動きと呼応しながらやっていくことが大切になります。

大分市内には多くの文化施設や商業施設があります。それらを「大分きゃんバス」という水戸岡鋭治さんデザインの循環バスがつないでいます。市の美術館のほかには、県立美術館、アートプラザ、大分駅、赤レンガ館、コンパルホール、J：COMホルトホール大分、大分銀行宗麟館などです。アートプラザは磯崎新の設計、県立美術館は坂茂、JR大分駅は水戸岡鋭治、一九一四年に竣工した赤レンガ館は、東京駅を設計した、明治の建築家辰野金吾です。二〇一五年にオープンした大分銀行宗麟館も水戸岡さんの設計です。

美術館主催の展覧会をまちなかで展開することもあります。「テオ・ヤンセン展」ではデパートや砂浜などにも出向きました。「佐脇健一展」では商店街やアートプラザ、県立図書館でも展示をしました。「草間彌生展」では、《ヤヨイちゃん》という十メートルのバルーンを、県立美術館の向かいにあるｉｉｃｈｉｋｏアトリウムプラザで展示しました。大分市美術館だけで完結するのではなく、外に出てゆくことによって、人を呼び込むことができると考えたのです。《ヤヨイちゃん》に関しては、県立美術館がオープンを控えていましたので、エールを送る意味もこめました。

美術館主催以外では、二〇一五年のプロジェクト「おおいたトイレンナーレ二〇一五」があります。トイレを舞台にした芸術祭で、公園の公衆トイレや商店街のお店のトイレにアーティストたちがコミッション・ワークを展開しました。西山美なコさんたちの作品《メルティング・ドリーム》は、トイレがまるでデコレーションケーキのように変えられ、人々を驚かせました。藤浩志さんの《かえっこ》、トーチカというユニットのペンライトを用いた映像が見られる作品《トイレのラクガキ》などもあります。

図3 宮崎勇次郎　壁画《NEW WORLD 府内富士》制作現場　2018年

二〇一八年と二〇一九年の「回遊劇場」は、国民文化祭、全国障害者芸術・文化祭やラグビー・ワールドカップ開催に合わせて計画したもので、私がディレクターを務めたアートプロジェクトです。まちなかを劇場や美術館に見立てて、そこを回遊するというコンセプトです。店舗を改装して展示やイベントを行ったほか、まちなかでの壁画制作もしました。東京造形大学の教官である宮崎勇次郎（大分市の出身）さんも、駐車場に面したビルに壁画［図3］を描いてもらいました。

このときには、宮崎さんの個展をアートプラザで同時開催しています。そのほか「夢色音楽祭」という音楽のコンサートともコラボレーションするなど、まちじゅうで展開し、まちを劇場化しました。

このプロジェクトでは多くの人が目にする展示やイベントだけでなく、普段訪れることのない、都市の深部に入り込んだ場所をあえて選びました。そのような場所の発見や出会いにも大きな価値があります。現在では使われなくなった場所を活用することで、その場所の歴史や可能性を見出すことができるからです。

これからの美術館と学芸員

最後に、これからの美術館についてお話しします。美術館は本来的に矛盾する存在といえます。「保存と活用」、「研究と普及」、「保護と観光」というようにアンビバレントな要素をもっています。このなかで、どのようにバランスを取っていくのかを考える必要があるのです。文化財や美術品は、保存（良好な状態で次世代に引き継ぐ）と活用（文化芸術の継承・発展・創造には活用が重要）という、正反対のベクトルに引っ張られています。法律にも両方があり、保存に関しては博物館法や文化財保護法が、活用に関しては文化芸術基本法などがあります。

「保存と活用」の両方を並び立てる方法を考えてゆく必要がありますが、そのためには、広い視野で、多様な文化芸術の発展を考えなければならない。

学芸員は時間軸と空間軸の両方を考慮しなければいけません。フィールド調査によって過去の資料を収集する、文献研究によって過去の概念を調査する。それを未来に向けるときに「保存と活用」とに分かれます。逆向きのベクトルをこの軸のなかでどのように考え、折り合いをつけるのかが問われます。それはこれからも学芸員の宿命だといえるでしょう。

芸術や文化の価値をどのように伝えていくかには、「災害と観光」も関与します。東日本大震災のときに、多くの美術館や博物館で文化財が破損しました。破損したものについては、もちろん保護して修復するわけですが、たとえば、宮城県のリアスアーク美術館では、災害史や災害文化の視点から考えるという保護の仕方を提示しました。一方で、観光という意味で活用していく方向も考える必要がある。インバウンドについても、コロナ禍のなかで難しくなっています。だからこそ、グローバリゼーションも含めて、観光をどのようにとらえ直すかは、ウィズコロナ、アフターコロナの時代の重要な課題になると思います。

これからの学芸員像ですが、観光や産業、地域、防災、福祉、教育などに対して、「コンプライアンス」を遵守しながら、「イノベーション」を起こしてゆくことが大切になります。さらには、弱者をカバーする「社会的包摂」や「持続可能性」も考えてゆかなければならない。この四つのスタンスによって、美術館の「多様性」と「創造性」が可能になると思います。

美術館は、まち、ひと、アートが交わるところに存在する装置だと考えることができます。これらが重なるところで美術館が機能すると素晴らしい活動につながっていくのだと思います。

地域の中の学芸員―信州のミュージアムを例に―

伊藤幸穂

中山間地域・過疎地域のミュージアム

木曽町教育委員会生涯学習課の伊藤幸穂です。信州のミュージアム・美術館等の学芸員の役割や現状などを紹介しながら、地域の中での存在について考えてみます。まずは私の自己紹介、次に長野県内の学芸員のワーキンググループ「シンビズム」の取り組みについて、それから市町村の公立美術館の学芸員の生の声をご紹介します。最後に、地域のミュージアムの学芸員に求められるものは何かを考察します。

私は東京造形大学の比較造形専攻を卒業し、一九九七年から駒ヶ根市にある財団法人の美術館で学芸員として五年間勤務しました。その後、木曽郡内の民間美術館に常勤で六年、非常勤で四年ほど在職し、その間に信州大学大学院で地域の彫刻家について研究し修士論文をまとめました。美術館を辞めた後、ちょうど整備が進んでいた木曽町の文化施設の開館準備のため、教育委員会に勤務することになり、現在に至っています。

私が民間美術館にいた頃の仕事は、施設管理や入館受付、企画展、教育普及、イベントなどの企画運営等で、広報活動や取材対応もこなすほか、収蔵品管理もありますね。補助金申請が重要な業務になりますし、他館との情報交換や、研修会に参加して新しい情報を入手したり。最後になってしまいますが、研究調査や論文執筆があるという感じでした。

図1 旧帝室林野局木曽支局庁舎（御料館）外観、2017年撮影（長野）

美術館等における学芸員や専門的職員の設置については、博物館法にも明記されてはいますが、私の住む地区、近隣の中山間地域・過疎地域では、学芸員は本当に数少ない存在です。

実は、私のいる木曽町福島地区は木曽郡（全域過疎地域）の中心地でミュージアムは意外と多くあります。木曽福島郷土館、福島関所資料館、山村代官屋敷、御料館（旧帝室林野局木曽支局庁舎）［図1］、木曽町文化交流センター（複合施設）。その他、旧県立高校の敷地に木曾山林資料館という林業教育関係の資料を扱う特色ある館もあり、林学科出身の学芸員がいます。さらに石井鶴三の貴重な木彫等を展示する木曽郷土館（木曽教育会運営）もあり、いずれも外部からの評価の高い資料を所蔵する施設ですので地域の中の学芸員の役割は今後も大きくなると考えています。

私が開館準備から関わっている御料館（二〇一四年～）は一九二七年建築の庁舎を文化財として復元改修した比較的大きな建物で、展示のほか集会所やイベントでも活用したり、観光の拠点として美術館の代替えのような形でも使用できます。二〇二〇年は、個人蔵の絵葉書コレクションを借用し、「戦前の絵葉書展」を開催しました。同館で企画展や木曽の森林の歴史についての講演会を開催したり、戦前の雰囲気を高めようと展示も工夫しています。

個人的にも、有志で御料館など日本遺産になっている各施設のPR動画「日本遺産　木曽路は全て山の中～和装で街歩き」コーディネーターとして製作を行い、YouTubeで公開していますよ。

ただ、現在は御料館だけではなく、他の施設の展示改良の仕事も行っていますし、美術展示だけでなく、地域の歴史などの調査研究や、資料館の展示の手入れ、文化財にかかわる仕事の補助なども行っています。扱う分野は時代もジャンルも多岐に渡り、頭がついていかない…と感じることもありますが、美術館だけでは関わることのなかった事案を扱ったり、経験を得ることができますし、木曽での経験や研究を生かせる立場だと思っています。

「SHINBISMシンビズム」について

実は、長野県はミュージアムの数が全国一位です。信州には地域ごとに歴史ある素晴らしい美術館があります。碌山美術館、信濃デッサン館、長野県立美術館、美ヶ原高原美術館、北澤美術館などなど。私も長野県の山岳の雄大な景観と、そこに花開いた高い文化の魅力に惹かれて移り住んだ一人で、その価値をさらに高めていくべきだと思っていました。ちょうど県では「信州ミュージアム・ネットワーク事業」という全県下を網羅しミュージアムスタンプラリーを実施する試みを開始し御料館も参加しました。

また、長野県では一般財団法人長野県文化振興事業団に芸術監督団事業を設けて、美術と演劇と音楽、プロデュース、それぞれの第一人者を迎えました。美術は本江邦夫さん。当時は多摩美術大学教授で、東京国立近代美術館のキュレーターを長く務めた方です。学芸員は監督のもとに集まるプレイヤー、ワンチームとしてやろうと、これまでになかった学芸員のくくりとしてワーキンググループ「シンビズム」が二〇一六年に誕生し、私も以前から交流のあった事務局担当の伊藤羊子学芸員に誘われ、発足から参加することになりました。ちなみに、シンビズムの意味は「信州の美術の主義」を表す新しい造語で、事業を進めていこうと付けられました。そして監督は現存作家による現代アートの展覧会をグループで開催したいと提案されたのです。

展覧会「シンビズム1」（木曽町教育委員会共催）は二〇一七年度に四地区（北・東・中・南信州）で開催された現存作家による展覧会でした［図2］。中信会場が御料館で、私は信州大学出身の彫刻家の小野寺英克さんを推薦して展示しました。そのほかに日本画家の矢島史織さんが建築物を生かしたインスタレーションを行ったり、特色ある会場の雰囲気を生かした展示があり、来場者からの反応はとても良かったですよ。また、地域初の「対話による鑑賞授業」を、茅野市美術館学芸員を中心に、小学四年生を対象に行いました。出品作家も二名会場にお越し頂き、活気あふれる対話となりました。茅野市美術館のサポーターさんも大勢応援に駆けつけて下さりました。

図2 シンビズム１御料館、小野寺英克展、2018年2月28日－3月24日

なお、「シンビズム」の出品作家は、長野県にゆかりのある作家に限定しています。学芸員が作家を推薦し協議で決定し「信州ミュージアム・ネットワークが選んだ作家たち」というサブタイトルが付けており、作家との共同作業が自然に増え、絆が生まれたような気がします。

「シンビズム2」は翌年度に開催され、私は安曇野市豊科近代美術館の会場の出品作家であった画家の末永恵理さんの作品解説等を担当し、推薦された学芸員、作家と一緒に展示を行いました。

「シンビズム3」は二〇一九年度に開催しました［図3］。私は富士見町にアトリエがあった眞板雅文さんの論考を執筆しました。会場は安曇野髙橋節郎記念美術館の登録有形文化財に指定されている江戸時代の建物（母屋）。作家が故人だったため、インスタレーションをどのように展示するか等、リーダーの赤羽義洋学芸員を中心に行いました。眞板夫人の全面協力のもと、良い空間が出来たのではないかと思っています。

図3　シンビズム３安曇野髙橋節郎記念美術館、眞板雅文展《春：彩りの譜》（2006年）、2019年9月21日－10月14日
撮影：はたけやまたかし

「シンビズム3」の茅野市美術館会場には、東京造形大学の卒業生である前沢知子さんも出品されていますし、翌年度の「シンビズム4」の上田市立美術館会場では母袋俊也名誉教授も出品されています。

いずれも多くの作家と美術関係者、フロントサイド（行政）が同じ目的のもと、所属や立場を超えて交流できるため、普段から様々な業務の相談をさせていただくなどの効果を私は実感しています。県内アートシーンに詳しい、運営アドバイザーの石川利江さん始め、シンビズムに関係する皆さんのとのつながりによって励まされることも多いです。

長野県内の学芸員アンケート

本講義のためにアンケートに回答して頂きました（二〇二〇年十月実施）。質問は（1）〈学芸員になろうと思った最初のきっかけ〉（2）〈過去の美術館の勤務先、勤務年数、現在の職場の勤務年数〉（3）〈これまでの業績のなかから、とくに地域に大きく影響を与えたと思われる企画展〉（4）〈学芸員資格取得を目指す学生に向けてのアドバイス〉です。

アンケート①

最初は「シンビズム」議長であり二〇二〇年四月から東御市梅野記念絵画館館長の大竹永明さん。二〇一九年度までは松本市教育委員会の文化財課課長をされていました。

（1）〈絵や彫刻が好きだったことが最初で、梅野記念絵画館長の梅野隆氏の絵をみる目のすごさや、碌山美術館の学芸員の千田敬一さんの彫刻を見る知識を知って、自分も学芸員の仕事をしたいと思った〉。

（2）〈松本市職員で、学芸員資格を取得していた。最初は松本市考古博物館に二年。二〇〇三年から五年間は松本市美術館。その後、文化財課などで勤務〉。その間、二〇〇九年から十年間、梅野絵画記念館の運営委員、「シンビズム」のワーキンググループ議長、茅野市美術館の美術品寄附等検討委員会委員、安曇野市の美術資料等選定委員もされています。

（3）〈二〇〇四年の松本市美術館での「素と形」は、建築家の中村好文、古美術商の坂田和實、イラストレーターの山口信博の企画監修により開催。松本は民芸の街として知られていますが、日常の生活用具は機能や用途が優先されるゆえに、美術品のような作為を持たず、かえって美しい造形を持ち素材の魅力を引き出している、そんな主張をした展覧会です。二〇〇七年の「松本平の近代美術」は、長野県中信地方の幕末から現在までの物故作家百三十人を取り上げて、郷土の近代美術史をたどった展覧会です〉。

（4）〈学芸員が担う領域は美術の分野ひとつとっても範囲が広いですが、自分の専門の分野をもつことが大切。他館の学芸員と連携するなかでさまざまな情報をもらいますが、代わりに提供するものがないと対等な関係を築けないことがその理由です〉。

大竹さんは知識が豊富で、感性も豊かですし、さらに、事業を推進してゆく上では必要な行政手腕も学びたいところです。チームを引っ張る一方、自分の意見もはっきりと述べられ、議長として信頼されています。

アンケート②

中嶋実さんは小海町高原美術館の学芸員で、長野県を代表する学芸員のトップランナーの一人として走り続けておられます。小海町高原美術館は中山間地域・過疎地域にあり、標高千メートルを超える場所にある美術館ですが、郷土作家、現代美術、写真、デザイン、建築等を扱った展覧会や海外作家招聘などを継続的に開催されています。

（1）〈大学の授業でイギリス十八世紀の家具の展示空間の設計を行なったこと、オーストリアのガラス器の写真展を学内で開催したことで、ものの見せ方を考える楽しさを知ったのがきっかけ。デザイナーとして就職した自動車メーカーで、同社の博物館への異動を考えていたときに、現在勤務する美術館ができることを知り、学芸員資格を取得して転職〉。

（2）〈現在の美術館に開館から二十三年間勤務〉。

（3）〈二〇一〇年の「おもいでびじゅつかん」という、統合が決まった町内二つの小学校の児童全員と県内作家二人による展覧会。授業で子どもたちがつくった作品を美術館にもち込んで展示するのではなく、美術館全体を使い、作家と美術館でプログラムを考え、子どもたちと共同でつくり上げたものです。それと、美術館近くの宿泊施設を利用したアーティスト・イン・レジデンス事業。

二〇〇七年と二〇一七年にアメリカとオーストラリアから作家各六人を招聘して、制作期間を含め、町内の小中学校や地域とのつながりを積極的に創出した展覧会でした。二〇一八年には、参加作家が美術学部長を務めるアメリカの大学で報告会も開催〉。

（4）〈アンテナの感度を上げて情報を収集し、できるだけ多くの作家に会い、作品を見て、自身で感じて批評することがスキルアップにつながる〉。

学芸員アンケート③

前田忠史さんは、南信地方にある茅野市美術館の学芸員で、「シンビズム」南信グループリーダー代理です。

（1）〈近代建築史を研究するなかで、それを生かす場としてミュージアムがあると考えたこと。最初の職場では、学芸員のポストではありませんでしたが、そこで担当した展覧会の感動が現在につながっている〉。

（2）〈鎌倉芸術館に四年六ヶ月、パルテノン多摩に一年一ヶ月、茅野市美術館に十五年勤務〉。

（3）〈二〇一〇年の「藤森照信展 諏訪の記憶とフジモリ建築」。藤森照信さんは茅野市出身で、「空飛ぶ泥舟」という茶室をこの展覧会のワークショップの中で市民と地元の職人と藤森さんで制作しています。元々は茅野市美術館のある茅野市民館の東広場に展示していましたが、現在は神長官守矢史料館のある茅野市宮川高部に移築されています。二〇一六年の「在る表現―その文脈と諏訪松澤宥・辰野登恵子・宮坂了作・根岸芳郎」。諏訪地域の現代美術の作家を取り上げて、地域との関係、作家同士の関係を検証した展覧会です。二〇一二年から二〇一六年の「旅するムサビがやってくる！」。武蔵野美術大学の学生たちが全国に出向いて、学校や美術館などで、地域の人たちを巻きこんで活動を展開していますが、茅野市美術館が事務局となり諏訪地域の美術館、小中学校や地元大学と連携した活動を行っていました。二〇一七年以降は「おでかけ美術館」と題して、地元作家の作品を小中学校に展示して、美術館サポーターとともに「対話による作品鑑賞」を継続して行っています。これは「シンビズム1」のときに御料館でも行いました。

二〇一二年から二〇一六年の「茅野市ミュージアム活性化事業」、二〇一八年からの「茅野市文化芸術推進事業」もあります。二〇一二年からの五年間は、市内のさまざまな分野とのミュージアムとの連携、二〇一八年からは、ミュージアムに公民館、市民活動センター、ワーキングスペース、観光DMOを加えた連携事業を茅野市美術館が事務局となって行っています。茅野市にもいろいろな観光のコンテンツがありますが、そこにも美術館や市民館が積極的にかかわっています〉。

（4）〈研究をすることは、その分野の全体のことを知りながら、重箱の隅を突くように考えてゆくことだと思います。そのような専門分野をもつことは必要ですが、その分野を超えて、芸術や文化の全体について考える視点が必要だと思います。さらに、幅広い分野との連携を考えることのできる能力が求められると思います。現状を知りながら、新しいミュージアムをつくりあげていってほしいと思います〉。

この意見には私も共感するところが多いですね。前田さんは博士論文も書かれていますが学芸員としては専門領域内だけではなく、他の分野全体を見る必要性に言及されています。現在準備中の「シンビズム４」藤森照信展示グループ（筆者も参加）でも前田さんはリーダーとして視野を広く見つつ堅実な仕事ぶりを感じますね。

学芸員アンケート④

博物館の視点として、上伊那郡箕輪町郷土博物館の学芸員の柴秀毅さんにも回答いただきました。専門家であると同時に広い範囲の知識や経験の必要にも迫られる立場についてお聞きします。

（1）〈歴史が好きというか、それしかできなくて、大学では歴史を学びました。その後の進路は、高校で歴史を教えたいと思いましたが、叶わず、民間企業に就職しました。しかし、何かがちがうとすぐに辞めてしまい、自分を見つめ直したら、やはり博物館のような所で働きたいと思うようになりました〉。

（2）〈松本市教育委員会の嘱託職員（遺跡発掘調査）を一年、その後、箕輪町教育委員会の職員として箕輪町郷土博物館に二十年。そのうちの二年間は役場の住民環境課〉。

（3）〈郷土にまつわる地域に根ざした特別展を毎年開催しています。一九九六年度の「飯田線」、二〇一一年度の「戦国時代の箕輪」、二〇一二年度の「中箕輪尋常高等小学校の駒ケ岳遭難」、二〇一六年度の「生誕百二十年 探偵作家 木下宇陀児」など。また、二〇一八年には中学生向けの郷土学習本「はじめよう！ふるさと箕輪学」を刊行しています〉。

（4）〈小さな自治体の博物館（美術館）は、自分が学んできた専門事項だけをしていればよいというわけではありません。とくに博物館の場合は、考古、歴史、民俗、美術、自然など、すべての分野に対応しなければなりません。その他にも、事務、施設の維持管理、要望・陳情への対応など、さまざまな仕事があります。何にでも対応しようと思う柔軟な姿勢と、根気と努力をおしまない気もち、そして何よりも、その仕事を好きな気持ちが大切だと思います〉。

町の博物館としてあらゆるジャンルをカバーし、これだけの活動を継続して行うのは、規模の大きな施設ではないことで、学芸員の果たす役割の大きさを感じます。

地域社会の中のアート

東京造形大学教授の森口陽先生が二〇〇一年に出版された『展覧会の絵』という本があります。森口先生は現代アートの推進者で、『美術手帖』の副編集長や、セゾン美術館の創立に参加、副館長などをされた後、東京造形大学に着任し、私もゼミで学んだ学生のひとりです。この本には、ヨゼフ・ボイスなどの尖鋭的な現代作家に関するものや、セゾン美術館での企画展に関する調査の過程などが克明に記されていますが、ここでは「あとがきにかえて　アートは社会の中でなにができるか」を取り上げたいと思います。

（前略）二十世紀以降の美術家たちは、作品の自律性を追求し、強調してきた。そして作品のもつ力とその純粋性を現代美術の世界に定着させ、結実させてきたことはいうまでもないが、一方で、社会との結びつきを希薄にしてきた面を見逃すわけにはいかないだろう。この二十年のあいだに各地に建設されてきた美術館が、地域社会に密着できずに苦戦しているのもそうしたあらわれかもしれない。私は、「アートは社会の中で何ができるか」という問いを常に持ち続けることが、展覧会づくりの基本コンセプトにならなければならないと思う。（以下略）

私は当時既に学芸員として働いていましたので、特に印象に残っている文章です。大学時代のゼミでは学生が附属美術館での展覧会を企画・実施しました。本の中で森口先生が当時の学生達に触れた部分があるので紹介します。

（前略）彼らの精神がなんとみずみずしいことか。グループ作業を通して、個別性と協調性を自然とわきまえ、本音でものを言い合う姿勢をうらやましいとも思った。企画をめぐって、彼らの討論は何度も韜晦の砂漠に沈みこんでいった。おかげで、その度にこちらは沈没寸前の瀬戸際に立たされる羽目になるのだが、思うに、韜晦と貧乏は学生の特権とも言えることがらなのだから。そういう姿を見るとき、私は若者達をひとくくりにする画一的な見方には、決して同調したくない、とも思うのだ。

地域の学芸員にとって大切なスキルとは

地域の中の美術館で、学芸員として活動するためには、広い視野とそれぞれの立場を理解する心が大切になります。研究も大事ですが、それと同時に、市町村民の思いや願いとのバランスを考える必要があります。市町村民に共感して寄り添うことのできる学芸員がこれから増えてほしいと考えています。

チームワークも大切です。周囲の人の才能とパワーを借りることで事業を広げることができるからです。切磋琢磨できる人や、異分野でのよい先生を見つけることも大事だと思います。まだまだ隠されていると思われるみなさんの才能を発揮して、これから活躍してほしいと思います。

一方で、どんなときにも、どんな立場であろうとも、自分は芸術文化を守る砦のような存在であるという自負をもってもらいたいと思います。シンビズムの本江監督や大竹議長、そして森口先生も「学芸員は美の祭司」だと言われています。美術館は神殿であり、美という抽象的なものを追求する、そうした深い意味のある役割だということです。それに加えますが、芸術文化という大切なものを社会のなかで守る砦だと思ってほしいのです。

今後、社会が変化してゆく中では、芸術文化を守るだけではなく、その存在をもっと大きくする役割が学芸員にあるともいえます。資格をもっていることで、美術作品について聞かれることや、企業のなかで生かされることがあるかもしれません。美術館に勤めていなくても、そうした役割が求められる可能性は多分にあります。有資格者として自覚をもって、社会の中で芸術文化を守る砦のような存在になってほしいと思います。

伊藤幸穂

参考文献

伊藤幸穂「シンビズム―ミュージアム・ネットワークの推進と信州の美術館の価値」二〇一八年。

長野県文化振興事業団『シンビズム　信州ミュージアム・ネットワークが選んだ二十人の作家たち』、同『シンビズム2』二〇一八年、『シンビズム3』二〇一九年、『シンビズム4』二〇二〇年。

森口陽『展覧会の絵』美術出版社、二〇〇一年。

まちなみカントリープレス「月刊KURA」(信州はミュージアム王国)二〇一九年ほか。

美術館によるクラウドファンディング

正田 淳

大川美術の概要

大川美術館の事務局次長の正田淳です。

大川美術館は創立者の大川栄二がサラリーマン時代にコレクションした千五百点ほどの作品を公開するために、出身地である群馬県桐生市につくった美術館です。一九八九年四月一日に開館し、現在のコレクション数は七千三百点を少し超えるくらいになっています。運営は財団法人で行っています。二〇一二年に公益財団法人になりましたが、企業のバックアップなどはとくになく、独自で経営している美術館です。

初代の大川館長は、スーパーマーケットを全国的に展開していたダイエーで副社長を務めていた時代に、多くの作品をコレクションしました。大川館長はその時代に多くの人脈をつくっていましたので、開館当初は、さまざまな企業から寄付金をいただいたりして、うまく運営できていました。しかし、大川館長が亡くなった後は、企業とのつながりも次第に希薄になってゆきます。そうしたなかで、美術館の運営を試行錯誤しながら行っています。

美術館の建物は社員寮として使われていたものを改装して使っています［図1］。面白いのは、その所有者がセゾングループの堤清二代表だったことです。かつては、セゾングループの西友ストアーが桐生市内にあり、そこの従業員が住んでいた寮でした。ダイエーと西友はスーパーマーケットのチェーンを展開するライバル企業だったわけですが、文化事業を行う人間がダイエーにもいることを知った堤さんがとても喜んでくださり、非常に安価で譲っていただいたのです。堤さんは池袋に西武美術館（後にセゾン美術館に改称）をつくるなど、文化や芸術に深くかかわった方でしたので、共感があったのだと思います。

図1 大川美術館外観

当初は、既存の建物をすべて壊して、新しい建物をつくる計画でした。しかし、桐生で晩年をすごした画家のオノサトトシノブさんに館長が相談したところ、古い建物を改装して美術館にする方がよいとのアドバイスをもらったのです。それで、いくつもの部屋が迷路のようにつながった、つくりの面白い美術館になったわけです。

展示室の面積としては割と大きな美術館でもありますが、他の美術館と比較すると、天井は高くはないですね。大川館長は自宅で作品を見るような雰囲気を鑑賞者にも味わってもらいたいと考えていましたので、そのようになったわけです。普通の住宅に毛が生えたような設備ともいえますが、逆に、親しみのある美術館になっているともいえます。

美術館のコレクションと企画展

大川美術館のコレクションの主軸になっている作家が松本竣介で、所蔵作品は六十点くらいあります［図2］。太平洋戦争中という困難な時代のなかで絵を描き続け、戦後の一九四八年に三十六歳の若さで亡くなった画家です。大川館長がコレクター時代にもっとも目を奪われたのが彼だったのです。それで、現在でも、一番広い部屋に竣介の作品が常設展示されているのです。ちなみに、この建物を改修設計した建築士は、松本莞さんという、松本竣介の息子さんです。大川館長がコレクター時代に松本家と仲良くしていたこともあって、松本莞さんが美術館の設計を担当することになりました。

図2 松本竣介《街》1938年8月　大川美術館 所蔵

コレクションを展示するのと同時に、特別展も年に四本開催しています。二〇二〇年の秋には「靉光と同時代の仲間たち」を開催しています。靉光は太平洋戦争の末期に徴兵されて、兵隊として戦場に行き、そこで病死した画家です。作品数の少ない作家ですが、出身地である広島の現代美術館がまとまった数の作品を所蔵しており、今回はそれをベースに開催することになりました。広島市現代美術館は二〇二一年から改修工事に入りますので、その間に、所蔵する作品を他の美術館に貸し出す事業を行っています。その一環として、うちの美術館でこうした企画が開催できることになりました。

この展覧会を開催できた背景には、現在の館長が広島市現代美術館の副館長さんと親しくしていることもありますね。展覧会の企画では、やはり、人間関係が大切になります。信頼関係がないとできない。うちの美術館は公立美術館ほどの設備がそろっているわけではなく、温湿度の管理にも苦労してるのが現状です。そうした条件でも、信頼関係があると借りることができるのです。もちろん、ほかの美術館から依頼されたときには、うちのコレクションを極力お貸しするようにしています。こうしたところは「もちつ、もたれつ」という感じですね。

実際のところ、年に四本の展覧会を実施してゆくのはかなり大変です。普段は四つの展覧会を二人の学芸員で回しています。実は、私は美術館には学芸員として就職したのですが、現在はそこから離れて、事務局に所属してます。それでも、二〇二〇年度には「テキスタイル・プランナー　新井淳一の仕事」という展覧会を担当しました。館長にやれといわれてね(笑)。学芸に所属しているのは二人ですが、資格をもってるのは、私を含めて四人います。

美術館を運営するには資金が必要

美術館の花といえば、学芸ということになります。しかし、学芸員が優れた展覧会をつくるためには、やはり、予算が必要になるわけです。ですので、どのようにお金を集めたら展覧会ができるかをしっかり考えなければいけません。

私は学芸員として大川美術館に入りましたが、事務局に異動したことで、全体的なお金の流れを見ることができるようになりました。こうした面から美術館がどのように動いているかを理解できるようになったのは大きな収穫だったと思っています。学芸員のきもちを理解しながら経理を行ってゆくというのは、今後、美術館に携わる人間としては大事な要素になってくると思います。

現在では、お金を集めるのは相当にシビアになっています。かつては、企業メセナというかたちで、会社側のステータスとして美術館に寄付するなどもありましたが、今の時代には、そうしたこともむつかしくなっています。ここでも重要なのが信頼関係ですね。寄付や出資というかたちでお金が集められたときは、美術館のことをご理解いただけた、私のこともご信頼いただけたということですので、現在の仕事のなかではうれしいことになります。

こうして集めることのできたお金は、学芸ともしっかり話し合って、無駄のないように使うことが大切になります。ただ、よい展覧会をするためには、ある程度のお金というのは絶対に必要なのです。そういったところも理解しなければいけない。学芸員とは、まあまあ激しいけんかをしたりすることもありますが(笑)。美術館の花形である学芸員として働くのも面白いのですが、美術館の経営も面白い仕事なのです。大変ですけれども。

大川館長の時代には、館長とおつき合いのある方々が全国におられましたので、そうした方々からの支援もある程度は期待することができました。しかし、その後はそうしたおつき合いも少なくなってきます。ですので、大川美術館が生き残ることのできる方法を別のかたちで考える必要があります。その際に、一番大切なのは、地元の桐生市との関係になると思います。桐生市の市民の方々にご理解いただくための活動に力を入れてゆかなければならないと考えています。

大川美術館は公益財団法人ですが、毎年、桐生市からも補助金をいただいています。美術館の年間支出の四十パーセント以上を占めるくらいの大きな金額になります。桐生市も財政状況は楽ではないはずですが、それでも、大川美術館の存在価値をご理解いただけているからこそ補助をいただけるのだと思います。こうしたことも含めて、今後さらに、地元の方々に美術館をご理解いただく努力をしていかなければいけないと思ってます。

そのためには、美術館のなかで仕事をするだけでなく、外に出て、人間関係をつくってゆくことも必要になります。コロナ禍のこともあって、現在は美術館内にいることの方が多いのですが、今後は、週の半分くらいは外に出て、営業をしてゆかなければいけないと考えています。

国立美術館や公立美術館であっても、社会の経済状況次第では、購入予算がなくなったり、展覧会予算が削減されたりすることが起こります。美術館に携わる人間としては、営業マン的な感覚を少しずつでも増やしてゆかなければいけないでしょう。今後は、美術館活動のための予算確保が現状よりもさらに厳しくなってくると予測されますからね。

クラウドファンディングをはじめたきっかけ

クラウドファンディングの当初の目的は松本竣介の展覧会を行うことでした。ほかの美術館であれば、大きな展示室で一度に展示できるのでしょうが、大川美術館では「アトリエの時間」、「読書の時間」、「子どもの時間」、「街歩きの時間」の四回に分けて行いました。こうした展覧会を一年間かけて行う、その手はじめとして、竣介のアトリエの再見を計画しました［図3］。

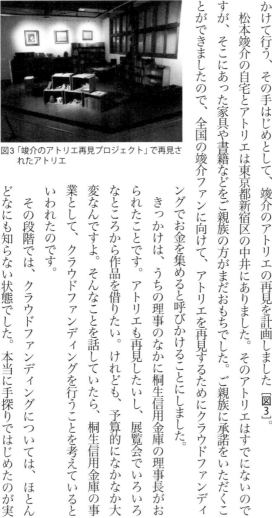

松本竣介の自宅とアトリエは東京都新宿区の中井にありました。そのアトリエはすでにないのですが、そこにあった家具や書籍などをご親族の方がまだおもちでした。ご親族に承諾をいただくことができましたので、全国の竣介ファンに向けて、アトリエを再見するためにクラウドファンディングでお金を集めると呼びかけることにしました。

図3「竣介のアトリエ再見プロジェクト」で再見されたアトリエ

きっかけは、うちの理事のなかに桐生信用金庫の理事長がおられたことです。アトリエも再見したいし、展覧会でいろいろなところから作品を借りたい。けれども、予算的になかなか大変なんですよ。そんなことを話していたら、桐生信用金庫の事業として、クラウドファンディングを行うことを考えているといわれたのです。

その段階では、クラウドファンディングについては、ほとんどなにも知らない状態でした。本当に手探りではじめたのが実情です。後に、いろいろな美術館からクラウドファンディングをどのように実施したかの問い合わせを数多くいただきました。日本の美術館でも、おそらく、最初に取り組んだのではないかと思います。

クラウドファンディングの実施は、そうしたウェブサイトを運営する会社と一緒に行いました。しかしながら、これだけでは、インターネットに精通している人しか参加できないことになります。ですので、インターネットが得意でない高齢者などが、直接、美術館とやりとりできるように、フライヤーも一万枚くらい作成しました。

五百万円の目標でスタートしましたが、最終的には、七百四十八万五千円を集めることに成功しました。実は、その半数がフライヤーで知って参加した方だったのです。インターネットから情報を得ることに慣れている方もたくさんいますので、そういった方々に呼びかける点では、クラウドファンディングの会社を使うことに利点があります。しかし、それと同時に、パソコンが苦手な方たちからも寄付をいただくためには、こうした紙媒体を用いることも重要になります。二本立てで実施したことが成功の理由のひとつといえますね。

クラウドファンディングの実際

まず、目標金額を五百万円に設定して、その金額を二ヶ月間くらいで集めるというところから出発しました。参加者には、五千円、一万円、三万円、十万円という四つのコースを用意しました。一万円から三万円の方が多かったですね。十万円の方も結構いて、五千円が一番少なかった感じになりました。

開始から一週間で二十パーセント以上を獲得できていないと、過去の事例から考えて、成立しないといわれていました。二〇一八年の六月一日から開始しましたが、四月くらいの段階からいろいろなところにお願いに回って、最初の一週間の目標を達成することができました。この時点で、少し安心しましたが、それまでは本当に胃が痛かったですね。

クラウドファンディングには、なにもお返しすることのない「寄付型」と、お返しのある「購入型」がありますが、大川美術館では、すべて「購入型」にしています。今の時代ですと、「寄付型」ではなかなかむつかしいですからね。参加される方に対する特典をいろいろと設定して行うのがよいと考えました。とくに、今回の場合は、対象が松本竣介のファンというピンポイントになると考えていましたから。

しかしながら、松本竣介のことはあまり詳しくは知らないけれども、地元の美術館がやるのだったら応援するよということで、桐生市の方々が多く支援をしてくれました。割合としては、半分くらいになります。お金だけをぽんともってきて、「美術館ががんばっているから応援するよ」といって、そのまま、なかの展示も見ないで帰ってしまう人もいました。そのように地元の方が美術館のことを大事に思ってくださっていることは、本当にありがたいと思いました。

この事業を行うことによって、美術館の本来のあるべき姿というものが浮き彫りになったように思います。地元に愛される美術館にならなければ、これからの時代はやっていけないということもはっきりと自覚するようになりました。そうした点でも、とても勉強になりましたね。

桐生市の職員の方々にも支援をいただいています。市役所のなかにはいろいろな部会があるそうで、そうしたところで貯蓄しているお金を美術館のために使っていただいたわけです。「桐生市役所○○会」といったところからも入金がありました。

このクラウドファンディングは桐生信用金庫の事業でもありましたので、信用金庫の営業の方からも企業を紹介いただきました。最終的には、五十社くらいの企業から支援をいただいています。寄付金をいただける手はずを事前に整えていただいたことも多くありましたし、美術館からの説明がほしいというところには、一緒に説明にうかがったりもしました。この力も非常に大きかったですね。桐生信用金庫からは報道機関にも連絡をいれてもらって、記者発表会も開いていただきました。広報も大々的にしてくださったわけです。

桐生市以外では、やはり、竣介ファンの方ですね。今回は沖縄の方はいらっしゃいませんでしたが、北海道から鹿児島までの範囲で参加者がありました。現在でも、竣介ファンが全国各地におられることがはっきりとわかりました。こうした方々からの支援もありがたかったです。

クラウドファンディングの魅力を考える

今回のクラウドファンディングは「購入型」ですので、特典についても考えました。もちろん、展覧会のカタログもありますが、しかし、カタログはだれでも買うことのできるものです。それ以外にも、クラウドファンディングに申し込まないと入手できないものが必要なわけです。そうしたものとしてハンカチをつくりました。桐生市は織物で有名ですが、同時に、刺繍でも有名です。アパレルブランドの刺繍を行っている会社もたくさんあります。その桐生の刺繍を使って、大川美術館が使っているガス灯のマークの入ったハンカチをつくりました。このガス灯は松本竣介の描いたカットから引用したものです。このハンカチがほしいという方はたくさんいましたね。美術館にも在庫は残っていません。

四期に分けて実施した松本竣介展ですが、当初は「アトリエの時間」だけで行うことを考えていました。直接的には、アトリエを再見することが目的でしたから。ただ、それだけでは五百万円はむつかしいだろうということとなって、四つの展覧会をひとつのプロジェクトとして立ち上げることになったのです。参加者には招待券をお送りするのですが、二ヶ月弱しかない期間だと、実際に来ていただくことがむつかしいのですね。それで、一年間の大きなプロジェクトとして設定することにしたわけです。プロジェクト自体を大きくして、だからこれだけのお金が必要だとアピールした方が説得力が出るという考えもありました。

集まった七百四十八万五千円は二つくらいの展覧会ですべて消えてしまいました。やはり、展覧会を行うのにはお金がかかります。ただ、そのお金があったからこそ、アトリエの再現もできましたし、ほかの美術館から作品を借りてくることもできたわけです。もっとも、運営会社に支払う手数料が十八パーセントくらいかかりますので、全額を使えるわけではありません。実際に使えるのは六百万円くらいになります。

「アトリエの時間」の次には、「読書の時間」という企画展を行いました。再見されたアトリエを見ていただくとわかるように、蔵書が五百冊以上もあります。よく読書をしてた作家だということで、松本竣介の本の紹介も加えながら行う展覧会にしました。

その次が、「子どもの時間」という展覧会です。竣介には《せみ》(一九四八年)という作品がありますが、もともとは、大川美術館の設計をされた松本莞さんが子どものときに描いたセミを、トレースするようにして自分の作品にしたものです。こうした、子どもの感性を大切にしていた作家だという面を紹介するのと、竣介が描いた子どもの絵を集めてひとつの展覧会にしたものです。

最後が、「街歩きの時間」です。竣介はその当時の建物を多く描いています。《Y市の橋》(一九四四年)や《ニコライ堂の横の道》(一九四一年頃)などですね。桐生市内には、その時代の建物で現在でも残っているものがあります。桐生市の当時の建物の風景と竣介が描いた風景を一緒に見ると面白いのではないかと考えたものです。

クラウドファンディングを行うにあたって、企業などからは税制上の優遇措置があるかどうかをよく聞かれます。ですので、どのようにしたら税制上の優遇が受けられるのかも考えながら進める必要があります。税理士の先生と相談して、ある程度の優遇が認められるかたちをとることができました。

「寄付型」というのは寄付するだけですから、税制の優遇が受けられます。ただ、お返しをすると、税制の優遇が受けられないケースが出てきます。クラウドファンディングを「購入型」で行う場合には、税務署からダメだといわれないように事前に勉強しておく必要があります。税の優遇措置はみなさんも非常に気にされるところですので、しっかりと対応する必要があります。企業の側としても、費用として出すのか、寄付金として出すのかで、優遇がちがってきますので、気をつかいましたね。

美術館における事務の役割の大切さ

美術館に勤めてると、絵画の寄贈などのはなしもあります。その寄贈の際にも、税制の優遇が受けられるかどうかが重要になります。うちの美術館は、寄付控除は受けられるのですが、所得控除が受けられないかたちになっています。今後は寄付を増やして、所得控除も受けられる法人にしたいと思っています。

このあたりのことは、寄付の額や件数によって変わってくるのです。五年間で平均して百件以上の寄付がないと、所得控除が受けられないというルールがあります。大川美術館ではメンバーシップが百人を超えていますので、それにもとづいて所得控除も申請していました。しかし、二〇一八年くらいに、税務署からダメだといわれてしまって。これは法律の解釈のはなしになります。メンバーには招待券を渡すのですが、それがダメだと。美術館からすると、チケットをプレゼントするのは普通のことですが、税務署はそれをチケットの販売だと解釈するようです。

とにかく、学芸員にはよい展覧会をつくるために突っ走ってもらいたいと思っています。そして、その展覧会がどのようにしたら実現できるかを考えるのが事務局の仕事になります。展覧会にくる人からは見えにくいところですが、縁の下の力持ちのような仕事も美術館にとっては大切なのです。

大学で美術を学んだ人が美術館の事務局にいると、美術のことも理解できて、経営のこともできるわけですね。そうした人が増えてゆくと、今後、美術館業界は今よりももっと盛り上がってゆくのではないかと思っています。

第四章　歴史をつなぐ

美術館の歴史性を引き出す実践――《原爆の図》のある美術館で

岡村幸宣

原爆の図丸木美術館

原爆の図丸木美術館の学芸員の岡村幸宣です。埼玉県東松山市にある丸木美術館は、《原爆の図》を描いた画家の丸木位里と丸木俊の夫婦が、多くの人たちに支えられながら、自分たちで建てた美術館です。コレクションの基本となる《原爆の図》は三十年以上かけて描かれた十五部の連作で、美術館ではそのうちの第一部から第十四部までを所蔵しています。

開館は一九六七年五月。位里は一九九五年、俊は二〇〇〇年に亡くなっているので、それから二十年が経過しますが、今も毎年一万人程度が来館しています。美術館を支える友の会の会員は全国に千五百人ほどいらっしゃいます。

私がはじめて丸木美術館に来たのは一九九六年、東京造形大学の四年生の博物館実習のとき

図1 丸木位里、丸木俊《原爆の図　第１部　幽霊》1950年　原爆の図丸木美術館 所蔵

です。当時の授業では現代美術について学ぶことが多かったので、歴史的文脈をもつ絵画のある場所を体験してみたいと思いました。最初に頼まれた仕事はタケノコ掘りでした。朝、美術館の裏でタケノコを掘っていると、霧の向こうからおばあさんがゆっくり歩いてくる。その人が丸木俊でした。夜は茅葺き屋根の古民家でお酒を飲んだり食事をしたりしました。だれが職員なのか、ボランティアなのか、お客さんなのかまるでわからない。美術館の仕事も全部自分たちの手づくりでやっている。ここは変な場所だけれども面白いなと思って、ボランティアとして通うようになりました。

その後、ヨーロッパの美術館を見て回る機会がありました。そうしたなかで、小さな美術館が背伸びをせず、自分たちにできる範囲で文化を守り伝えている姿に感銘を受けました。そのときに、丸木美術館の存在がまったくちがって見えるようになりました。

この美術館は《原爆の図》［図1］という絵の名前が美術館の名前になっています。《原爆の図》を大切だと思う人たちが集まって、その思いを守り伝えてきた場所です。そこでしか伝えられないものを守り続けてゆくのが文化の根源だと考えて、二〇〇一年から丸木美術館で働きはじめました。それ以来、丸木夫妻の残した作品が、今日を生きる私たちにどのような意味をもつかを考え続けているわけです。

《原爆の図》を中心とするコレクション

美術館の展示室に入ると、四方を《原爆の図》に囲まれます。空間はすべて作品の大きさに合わせてつくられている。守るべき大切な絵があり、それを収めるための場所がある。美術館が一番大切にすべきものがよくわかると感じます。

位里は広島の出身ですが、一九四五年八月の原爆投下のときに広島にいたわけではありません。新型爆弾が投下されたというニュースを聞いて、広島に住む家族を心配しながら駆けつけるわけです。俊も少し遅れて広島に到着します。そこで見たこと、聞いたこと、体験したことをもとに最初の《原爆の図》を描きます。

「第一部 幽霊」には被爆して郊外に逃げる人々の群像が描かれています。背景はすべて省略され、人間の肉体だけで画面が構成されています。「第二部 火」には燃え上がる炎の中で人々が逃げ惑う様子が描かれています。この光景を見た人は誰も生き残ることができなかったでしょう。原爆はその体験の中心にいる者は生き残れないという記憶の空白があるのです。《原爆の図》はその空白に芸術という想像力をとおして迫る絵画でもあります。「第三部 水」には画面の右から左に向かって異なる時間が、異時同図という東洋の伝統的な描き方で描かれています。現実をそのまま写し取るのではなく、絵画表現の歴史的文脈を踏まえて、無数の他者の記憶を効果的に画面に注ぎ込んでいます。

初期の作品が発表された時代、日本はアメリカを中心とした連合国軍に占領されていました。厳しい報道規制のもと、原爆の被害がメディアで報じられない時代に描かれたのです。《原爆の図》は展覧会というかたちで全国を巡回して、多くの人に原爆の被害を伝えてゆきます。芸術作品でありながら、ある種のメディアとしての役割を担っていたのです。

《原爆の図》は、過去の被害の記憶を伝えるだけでなく、現在進行形の暴力に対する抵抗も意味していたと私は考えます。ソーシャル・エンゲイジド・アート（社会に関与する絵画）の先駆的存在と見ることもできます。同じ悲劇を二度と繰り返さないための防波堤となる力があるのです。

ただし、そのことが芸術作品としての評価を後回しにする原因にもなりました。メッセージ性の強い作品であるためにプロパガンダ（政治的宣伝）という偏見を生むことにもなったのです。今でこそソーシャル・エンゲイジド・アートは現代美術における重要な流れとされますが、丸木夫妻が《原爆の図》を描いた時代には、日本の美術界においては、芸術の文脈において自律することが重要視されていました。

私が大学で教えを受けた森口陽先生は、西武美術館の学芸員としてドイツの美術家ヨーゼフ・ボイスの個展を企画された方です。ボイスは芸術という概念を拡張して、人間はだれでも自らの創造性によって社会の幸福に寄与しうると提唱しました。そうしたことを学んでいた私には、《原爆の図》は社会に関与してゆく現代美術の要素を抱えているように映りました。そして、その連作を収蔵してる丸木美術館は、美術館という概念を超えたインディペンデントのオルタナティヴ・スペースとも呼べる場所だと考えるようになりました。

図2 丸木スマ《おんどりめんどり》1955年
原爆の図丸木美術館 所蔵

丸木美術館では、位里の母親である丸木スマの絵画も多数収蔵しています［図2］。スマは明治のはじめに広島の山村に生まれて、学校にも行っていません。生涯読み書きをせず、二十歳で結婚した後、働きながら四人の子どもを産み育てた女性です。原爆投下も体験しています。位里と俊に勧められて七十歳をすぎてから絵筆をとり、八十一歳で亡くなるまでに、身近な生き物たちや里山の風景など七百点以上を描いています。

その一見拙い描写には、長い歳月を生きてきたなかで、スマ自身が見てきたリアリティが溢れています。造形感覚が独特で、色彩感覚もちょっと不思議です。絵を学んだことも学校教育を受けたこともないので、先入観がないのです。《原爆の図》の後でスマの明るい絵を見ると、心が解きほぐされます。その一方で、スマは位里と俊に被爆の記憶を語り、自ら絵のモデルを務めるなど、《原爆の図》の制作を支えた人でもありました。「ピカは人が落とさにゃ落ちてこん」という鋭く本質を突く言葉も残しています。

丸木美術館では、こうしたスマの絵と《原爆の図》とは命を深く見つめる眼差しでお互いにつながっていると考えています。位里も俊もスマの絵が大好きで、《原爆の図》と一緒にいつもスマの絵を飾っていました。現在でも、その考え方を踏襲して、スマの絵も紹介しています。

美術館における調査と研究

私は丸木美術館での最初の学芸員です。画家が生きている間は必要性がなかったのだと思います。学芸という考え方が存在しないまま美術館として活動してきた場所で、この美術館における学芸員の仕事を一から構築する立場になりました。

最初に取り組んだ仕事は、過去に整理された位里と俊、スマの年譜や作品の発表歴を、できるだけ一次資料にあたりながら見直す作業でした。地道な仕事ですし、作家自身の言葉を鵜呑みにできない作業なので、精神的に辛いところもあります。しかし、裏づけをとってゆくと、事実関係が微妙に異なる点も出てくるのです。

この仕事は現在でも終わりが見えていません。位里と俊の仕事は、美術の領域にかぎらず、歴史や政治、文学、科学、音楽、演劇など、幅広い領域に影響を与えているからです。映画や詩や俳句など、まったく予想しないところからも資料が出てきます。また、《原爆の図》は世界二十ヶ国以上を巡回しているので、それぞれの国の資料を集めるとなると、一人では太刀打ちできない語学能力も必要となります。私が生きているうちには、位里と俊の資料をまとめ上げることはできないと思っています。

小さな美術館ですので、学芸の仕事だけではなく、受付や掃除や草刈りなどもありますし、自主的な企画や他所の美術館の展覧会への協力もあります。さまざまな仕事があるなかでの作家研究になります。ですので、学芸の仕事はだれかに引き継ぐことを前提にせざるをえない。将来、関心をもつ人が現れたときに、私が明らかにできたこと、まだわからないことを示すのが大切だと思っています。

私は作品に対する自分の見解を述べることにはかなり慎重です。それは《原爆の図》を扱っているせいかもしれません。この作品については、美術的な視点からだけでなく、社会的な観点からの優れた批評が展開されてきました。それらを上書きする論を構築することは簡単ではないのです。ただ、事実関係の確認を地道に積み重ねていくうちに、だれも語っていないものが見えてくることがあります。

《原爆の図》全国巡回展を調査する

たとえば、一九五〇年代に《原爆の図》が全国を巡回したときの記録の調査です。私が美術館で働きはじめたときには、位里と俊のアトリエ兼書斎がほぼ手づかずの状態で残っていました。その整理していたときに、「原爆之図三部作展覧会記録」というガリ版刷りの資料が出てきました。

占領期を中心に《原爆の図》が全国各地を巡回したことは半ば伝説のように語られてきましたが、詳細についてはまったくわからなかったのです。占領軍の弾圧を恐れた大手メディアはほとんど取り上げませんでしたし、主催者も記録を残さなかったり破棄したりしていたのです。アトリエから出てきた資料には、最初期の巡回展の日程、会場、主催賛同団体、来場者数などの情報が丹念に記録されていて、従来の記録の欠落を補完できました。

それから、知り合いの新聞記者に相談して、巡回展の記憶がある人、実際にかかわった人、観客として行った人の証言を集めるという記事を全国版で掲載してもらいました。少なくない反響があり、証言や情報が寄せられてきました。

各地の図書館にも調査を依頼しました。地方新聞に記事が出ていたことがわかってきたからです。インターネットで申し込むリファレンスサービスが整備されはじめた頃で、多くの方々の協力によって、かなりの情報を得ることができました。

実際に展覧会にかかわった人にも会いに行きました。丸木夫妻や身近な関係者が担っていたと考えていた全国巡回展が、必ずしも彼らだけではなく、いろいろな立場の人々を巻き込みながら広がっていたこともわかってきました。版画家の池田満寿夫やアニメ映画監督の高畑勲が、学生の頃に《原爆の図》を見ていたこともわかりました。

重い口を開いて「今までずっと話せずにいた。でも、いつか誰かが聞きに来るだろうと思っていた。ようやく話せるときがきた。」とつぶやく人もいました。政治的な偏見もあったのだろうと思います。一九五〇年代には、政治と芸術が近い距離にあったので、巡回展には政治運動という面もありました。自分たちの仕事がいつか評価されると思いながらも、その機会がなく、沈黙を続けてきた人たちの言葉に込められた歳月の長さは、私の想像の及ぶものではありませんでした。

電話でお聞きした際にも、目の前に絵があるかのように熱く語る方もいました。涙ぐみながら絵から受けた思いを語る人もいました。そうした人々の熱さに圧倒されるなかで、六十年という歳月を超えて、人の心に残る《原爆の図》の意味を考えずにはいられませんでした。

そのうちに、これは《原爆の図》という芸術作品の受容史になると考えました。『《原爆の図》全国巡回』という本を被爆七十年の二〇一五年に刊行し、翌年に「平和・協同ジャーナリスト基金賞奨励賞」をいただきました。社会的なテーマを扱ったジャーナリストの賞ですが、私にとっては、あくまで《原爆の図》の受容史をたどった本です。それがこうした評価を受けるのも《原爆の図》らしいと思います。

忘れてはならないのは、著名な表現者の背後には、無数の人たちの運命が複雑に絡み合っていることです。位里と俊の絵画を深く理解するためには、彼らの存在を明らかにする必要がある。そう考えると、この調査は果てしない仕事になるわけです。生涯つき合ってゆくことになる研究対象に巡り合ったことは、研究者としては幸運だったとも思います。

一方で、扱う作家が限定されていることが、研究の停滞や行き詰まりを引き起こす可能性もあると感じます。《原爆の図》を軸に世界を見る目を育てることは重要ですが、作品を突き放して、違った視点からとらえ直すことも重要なのです。そうしたことをバランスよく行うのは簡単ではありませんけどね。

《原爆の図》を現在の視点からとらえ直す

近年はさまざまな表現者たちの仕事を企画展として取り上げています。これはコレクションの調査研究から少し離れるようですが、そうでもありません。《原爆の図》を現在の私たちの視点でとらえ直してゆくヒントがあるからです。

きっかけは二〇一一年の東日本大震災と東京電力福島第一原発事故でした。そのとき、一九五四年三月に行われたアメリカの水爆実験で被爆した、第五福竜丸をテーマにした展覧会を行っていました。第五福竜丸は《原爆の図》にも描かれています。アメリカの画家ベン・シャーンが第五福竜丸を扱った「ラッキードラゴン・シリーズ」も展示していました。核の問題が身近にせまるときにベン・シャーンの絵を展示していたのは象徴的だったと思います。

震災後の四月から目黒区美術館で開催予定だった展覧会「原爆を見る」が自粛に追い込まれる事態も起こりました。公立美術館による企画の限界を感じる出来事ですが、ただ、丸木美術館は公立ではありません。貧乏で運営は大変なのですが、その代わりに、政治的配慮が必要ない場所です。今だからこそ、丸木美術館では核被害の歴史を表現した芸術をしっかり伝えよう。そのことが今後の私たちの目指すべき社会を示唆することになる、と考えました。

そこで、チェルノブイリでの原発事故で被曝した村人たちの生活を描いた貝原浩の《風しもの村》を展示しました。福島原発の事故の後にチェルノブイリの事故の絵を展示するのは勇気がいりましたが、大きな反響があり、こうしたことが丸木美術館に求められているのだと勇気づけられました。

翌年には、福島原発の労働者を取材した記事に「ゲゲゲの鬼太郎」で知られる漫画家水木しげるがイラストレーションをつけた「パイプの森の放浪者」（一九七九年）の展示も行いました。残念ながら原画が現存しなかったので、水木プロから許可を得て、当時の雑誌を拡大して展示しました。

こうした展示を企画するなかで感じたのは、自分の反省も含めてですが、これまで美術館が核被害の表現の歴史を取り上げてこなかったことです。決して少なくない表現者が核をテーマにしているにもかかわらず、その意味を整理したり、論じたりする機会がほとんど存在しなかったのです。

現代のアーティストによる展覧会

新たな世代の表現者たちも訪れるようになりました。最初に扉を開いたのは芸術家集団Chim↑Pomです。彼らは二〇〇八年に広島市の上空に「ピカッ」という擬音を飛行機雲で描き、物議をかもしました。地元の中国新聞社が取り上げたことで騒動となり、被爆者団体に向けて謝罪会見を行ない、広島市現代美術館で予定されていた個展が中止になる事態にまで発展しました。

丸木美術館の当時の館長は美術評論家の針生一郎でしたが、リーダーの卯城竜太に「どこでも展示ができなくなったら丸木美術館でやったらいい」と言ったようです。針生館長は二〇一〇年に亡くなりますが、その翌年に、個展をしたいとの申し出がありました。《原爆の図》で有名な丸木美術館で個展を開くことで、広島での逆風を評価に変えられると考えたのですね。原発事故の直後で、渋谷駅にある岡本太郎の壁画《明日の神話》(これも第五福竜丸の被曝をきっかけに核被害の歴史を描いたものです)に福島原発事故の絵をつけ足す騒動が起きた頃でした。

彼らは丸木美術館での個展を成功させて［図3］、広島での展覧会につなげてゆきました。そして、丸木美術館もChim↑Pomを受け入れることで福島に接近することができました。この美術館での展示は、どんなものであっても、《原爆の図》と無関係であることはできません。特有のコレクションの存在が、ここにしかない場所性の強さになると実感しました。

二〇一二年には、新井卓の展覧会を開催しました。ダゲレオタイプという写真黎明期の技法で、福島をはじめとする核被害の歴史を撮り続けている写真家です。その後、広島や長崎、最初に核実験を行ったアメリカのトリニティ・サイトなどの写真も撮っています。彼は二〇一六年に、写真界を代表する木村伊兵衛賞を受賞しました。

図3 Chim↑Pom「LEVEL 7 feat. 広島！！！！」展　2011年　原爆の図丸木美術館

二〇一三年には、福島で被災してアトリエを失った彫刻家の安藤栄作の個展も開催しました。彼も活躍の場を広げ、木彫の最高賞である平櫛田中賞、二〇二〇年には岐阜県美術館の円空賞も受賞するなど評価を高めています。

Chim↑Pomの展示のときに丸木美術館を訪れて《原爆の図》に刺激を受けた美術家の一人に風間サチコがいます。彼女も二〇一八年にオリンピックをテーマとした個展を行いました。架空の都市で開催される祭典の、健全な肉体と精神を有した選ばれし者と淘汰される選ばれざる者たちの対比をユーモラスに表現しています。ニューヨーク近代美術館の学芸員が視察にきて、出品された《ディスリンピック二六八〇》は後に購入されることになります。

二〇一九年には菅実花の個展も開催しています。彼女は東京芸術大学の修了制作展でラブドールが妊娠するという設定のマタニティヌード写真を発表してスキャンダルを巻き起こしました。実は、《原爆の図》の最初の作品の最初に描かれた人物が妊婦なのです。結果的には、リボーンドールという、死んだ赤ちゃんの代わりになってお母さんを慰める精巧な人形を使いながら、写真の初期の頃に流行した死後記念写真（死者を生きているように撮る手法）を用いたシリーズを発表しました。彼女は二〇二〇年のVOCA展で奨励賞を受賞しています。

インディペンデントのオルタナティヴ・スペースとして

こうした美術家たちが次々と個展を開催することは、私が丸木美術館で働きはじめた頃には考えられませんでした。大学を卒業してすぐに丸木美術館で働かないかと誘われたときには、墓守のように時間がすぎてしまうのではないかと考えて、一度は就職を断った経緯もあります。《原爆の図》は重要な作品だけれども、美術館としては変化のない場所だと当初は考えていたのです。しかし、現在では、刺激的で重要な意味をもつ場所で、ある意味、現代美術館に向いた場所だとも思っています。冒頭で、この美術館がインディペンデントのオルタナティヴ・スペースだと述べたのには、そうした意味です。

二〇一一年以降の丸木美術館での学芸員日誌を『未来へ』という本にまとめましたので、ご覧いただければと思います。表紙は美術家（本人は「未来美術家」と名乗っています）遠藤一郎が訪ねてきたときの写真です。「未来へ号」という車に乗って、各地を旅して、さまざまなイベントを開催している作家です。

丸木位里と丸木俊は土俗的・土着的な性格を含んだ独自の方法で芸術と社会とのつながりを実践していました。しかし、後から来た学芸員としては、そうした彼らが残した文脈を、いかに私たちの生きる現代社会に引き寄せるかを考えたい。過去を参照し、読み返し、乗り越え、新しい価値を創出する公共性のある活動を実践していく。そうした新しい活動の実践と歴史的な事実の調査研究という両輪が、二人の画家の残した仕事を次の世代に手渡してゆくための重要な礎になると考えています。

美術作品の保存とデジタル・アーカイブ

門馬英美

東京造形大学附属美術館について

東京造形大学附属美術館の学芸員の門馬英美です。二〇一六年から附属美術館で学芸員をしています。

東京造形大学は一九六六年に開学して、一九九三年に現在の場所に移ってきました。美術館はその翌年に開館しています〔図1〕。この開館は八王子の医師だった横山達雄さんからジャコモ・マンズー作品の寄贈を受けたことを契機とするものです。現在、美術館ではマンズーの作品を彫刻と版画、レリーフを合わせて四十一点収蔵しています。美術館の設計原案は白井晟一で、渋谷区の松濤美術館などの設計を行った建築家です。

ジャコモ・マンズーは二十世紀のイタリアの彫刻家です。本学以外ですと、茨城県立近代美

図1 東京造形大学附属美術館外観

術館や国立国際美術館などにも作品が収蔵されており、各地の美術館でも見ることができます。美術館の外壁には「横山記念マンズー美術館」と記されていますが、これは寄贈者の横山さんに由来します。現在では、分館のギャラリーと合わせて、東京造形大学附属美術館という名称を使用しています。ZOKEIギャラリーとCSギャラリーの二つが美術館の分館という位置づけとなっています。

学芸員の仕事には展示、収集・保管、調査・研究という大きく三つの仕事があります。その他には、教育普及や資料のアーカイブの仕事があります。私は教育普及が専門ですが、当館では、これらの仕事を全般的に手がけています。

展覧会では、設営のほかにも、関連イベントの企画、広報、予算の管理、監視の手配を行っています。収集・保管の部分では、収蔵品の保存環境の整備、収蔵品リストの作成、保険や資産管理などがあります。収蔵品の調査や、他館への作品貸出業務、近年はアーカイブも進めており、創立者の桑澤洋子資料のデジタル化も行っています。教育普及では、アートラボはしもと（神奈川県相模原市）でのワークショップ、その他には学部四年生の博物館実習の受け入れなども行っています。

東京造形大学附属美術館の展覧会

当館の展覧会には大きく五つのタイプがあります。普通の美術館と同様の自主企画展。テーマに沿って企画するものです。そして美大として特徴的な退職記念展など教員の展覧会。本学が海外の学校と協定を結んだ時に行う記念展。その他に学生作品の展示や、作家として活躍している卒業生を紹介する展覧会を行っています。

自主企画展には、二〇〇七年の「桑澤洋子展」があります。本学では桑澤洋子作品を多数収蔵しており、服飾デザイナーであった桑澤洋子の衣装やデザイン画の展示を行いました。マンズー作品も二〇一五年に三十七点を紹介する展覧会を行いました。他には、ハリウッドのB級映画ポスターを約二千点収蔵していますので、それを紹介する展覧会も行っています。分館となるギャラリーで行った展覧会には、教員と共同で行った企画で、春日明夫先生のおもちゃコレクションの展示（二〇〇七年）があります。

交流や協定に関わるものには、二〇〇七年に、本学と京都造形芸術大学、カリフォルニア大学が共同して、絵画や彫刻を中心とした教員作品の展覧会を行いました。二〇一六年には、タイのチェンマイ大学と協定を結んだので、その記念として交流展を開催しました。学校全体の事業ですので、学長による調印式や大学紹介の講演会もありました。レセプションでは、展示室でタイの伝統楽器で演奏が行われました。

学生作品の展示では、修了制作展や大学院生の研究中間発表展を行っています。卒業制作の優秀作品展である「ZOKEI賞選抜作品展」も毎年開催しています。学生ではありませんが、各専攻の助手による展覧会もあります。

卒業生のアーティストやデザイナーを紹介する展覧会も行っています。二〇〇七年には「第四回造形現代芸術家展」という、絵画と彫刻を中心とした卒業生を紹介する展覧会がありました。その他には絵画専攻領域と彫刻専攻領域が共同企画した「CSP（クリエイティブ・スパイラル・プロジェクト）」展です。桑沢デザイン研究所と当館で開催し、通算六回開催されました。

大学の美術館ならではの展覧会には、専任教員の退職記念展があります。二〇一九年には絵画専攻領域の母袋俊也教授の個展を行いました。美術館のほか、CSギャラリー、ZOKEIギャラリー、さらには屋外まで使用した大規模なものになりました。芝生の広場では公開制作を行い、日々完成に近づいていく作品の様子を見学できました。関連イベントとしても、ギャラリーツアーやシンポジウムも開催されました。

　こうした過去の展覧会は大学のウェブサイトに記録を残していますので、ぜひご覧ください。

展覧会開催までの流れ―「ZOKEI賞選抜作品展」の場合―

「ZOKEI賞選抜作品展」を事例に、展覧会に関する仕事の流れをご紹介します。「ZOKEI賞選抜作品展」とは「ZOKEI賞」受賞者（卒業制作展優秀賞）から十二名ほどを美術館で選抜し、作品を紹介する展覧会です。新一年生に向け毎年春に開催されています。

　この展覧会は最初に「ZOKEI展」（卒業制作展）を見に行くことから始まります。受賞した作品を見て、作者に連絡をとり、出品者を決定します。その後、会場構成を考えることになりますが、作品サイズなどを確認した上で、出品者と展示方法について協議をします。全専攻から出品されますので、メディア・デザインのようにパソコンを使用するものや、テキスタイルのように大掛かりなものなど、多岐にわたる作品を調整しながら展示構成を検討していきます。

　その際に、作品のコンセプトや制作方法についても一人一人聞いていきます。「展示中に壊れてしまった」、「もう少しブラッシュアップしたい」、そうした要望が出ることもありますので、その場合には、搬入の日時や展示方法について相談を重ねることになります。こうした調整は地味な仕事ですが意外と大変です。その途中、同時進行で広報物を作ります。展覧会のフライヤーに掲載する内容や、ウェブサイトに掲載する情報を決め、出品者に確認し、デザイナーに依頼します。

作品配置は模型や図面を使って考えますが、本展の場合は、出品者（学生）の提出したサイズと実物の大きさが異なることがあるので、広めに場所を決めておきます。作品の系統が偏らないよう計算し、コンセント、ピクチャーレールの位置など、設置場所と観賞者の動線も考えておきます。出品者データの管理方法ですが、私の場合は、他のスタッフと情報共有できるように、全てデータ化して管理しています。出品者からの連絡はバラバラにくるので、それぞれの要望や内容を一覧表にしています。

出品作品が確定するといよいよ設営となります。この展覧会には予算があまりないので、パネルやキャプションも自分たちで作ります。また設営も、私ともう一人のスタッフの二人だけで行います。展覧会期間中は、監視係が入るので、その管理も行います。監視係のために事前に説明会を行い、監視にあたっての注意事項の確認や、展覧会に関する説明をします。

会期終了が近くなると今度は返却について、出品者の都合を確認し、日程を確定していきます。それに伴う、材料費や輸送費を支払う事務手続きも同時に行っていきます。撤去が完了し、事務作業が終わると、展覧会が全て終了となります。

美術館外での活動

展覧会以外にも当館では、学外での活動を行っています。主に授業と連携した学外イベントや、ゼミと協力してのワークショップを行っています。

二〇一二年には「人がいっぱい」というテーマで、アートラボはしもとでワークショップと展覧会を行いました。これは大学院の学生が中心となって、展示や講師を招いてのワークショップを企画したもので、私たち美術館スタッフは現場での展示作業とワークショップの準備から参加しました。学生は展覧会やワークショップが出来上がる過程を学んでゆくもので、準備から設営、当日の活動といったスケジュールを組むところから体験します。

最近では同じ学生企画で「ぞうけい！たのしい！」というシリーズを行っていました。二〇一六年には四名の講師を招いてのワークショップを行い、その講師の作品展示も行いました。学生がワークショップのスケジュールを組み、そこにプロのアーティストの意見を取り入れながら、内容のどういうところに重点を置くかを実際に体験しながら学んでいきます。ワークショップでは作家の人柄を知ることができ、作品をどのように作っているかを知るきっかけにもなりますので、作品を理解するために効果的な方法といえます。

アートラボはしもとで実施しているワークショップは対象年齢が広く、未就学児から小学校六年生までを対象にしています。年齢によって集中力や作業内容に大きな差が出ますので、そうしたことも加味する必要があります。大学には大人しかいませんが、こうした場所では子どもたちやその家族と触れ合う機会を持つことができます。彼らが美術館に何を求めているのか、どのようなことに興味をもっているのかを知ることができるので、学外での活動は学生や美術館にとっても行う意義は大きいと思います。

美術作品の保存

美術館では作品を後世に残すために、作品にとって良い環境のなかで保管し、劣化を防いでいくことが大切になります。学芸員というと展覧会企画の仕事に目が向かいがちですが、作品をきちんと保管・整理することができて、はじめて収蔵品を使った展覧会ができます。そのためには、日々の管理を徹底することが重要になります。

劣化を進める外的要因には、まず、温湿度の変化があります。湿度が高いとカビや虫が発生しやすくなり、低いと水分が失われて作品自体がもろくなったりします。急激な温度変化は劣化を進める要因になります。普通の紙でも、雨の日には柔らかくなったり、晴れて乾燥している日にはパリッとする経験からもわかると思います。

次に、紙の変色やインクの退色を引き起こす光です。紫外線は蛍光灯、赤外線は白熱灯からも出るので、それをできるだけ当てないように注意します。他には、汚染ガスです。空気中の排気ガスやアンモニアなどがあります。これらは作品自体から発生することもあります。

もう一つ重要なのがカビと虫の発生です。カビの胞子は空気中を飛んでいますが、それが湿度の高い場所に溜まり、それをエサにする虫が集まるので、カビの予防は重要です。またチリやホコリが付着すると作品が汚れますし、そこに虫が出てきます。その虫の死骸にまた虫が集まってきたりします。

こうした外的要因から資料を守るために、最近では、文化財ＩＰＭ（総合的有害生物管理）の考え方が注目されています。薬剤だけに頼るのではなく、保存環境を適切に管理することで生物被害を予防する考え方です。ゾーニングとも呼びますが、建物全体のなかで予防する範囲を決め、その範囲のなかでどのように対処するかを考えます。

本学は森に囲まれていますので、特に、湿気と虫の被害に注意する必要があります。虫菌害防除対策としては、基本的なことですが、清掃と温湿度管理がもっとも有効です。また作品に異変がないか、毎日、目視で確認することも重要です。

本学でも、こうした文化財ＩＰＭの考え方を取り入れ、年間計画を作成し、月に一度二日かけて資料室を清掃しています。他にも、毎朝、各資料室を回って除湿機の水の量や温湿度をチェックして、作品に異変がないかを確認しています。年度末には作品を入れている箱を開け、中の状態に変化がないかも確認しています。

清掃に合わせて文化財ＩＰＭの方法である虫菌害チェックを行っています。部屋のなかでチェックするべき箇所を表にして、毎月、異変がないか確認します。ホコリがない、虫がいない、匂いの変化がない、空気の淀みがないかを確認します。それに基づいて、虫がいた場所を重点的に掃除したり、害虫対策を考えたりします。

普通の美術館とは異なり、本学には収蔵庫がありません。元教室だった場所などを利用して作品を保管しています。光が入らないよう窓を板で塞ぎ、空気清浄機や除湿器で温湿度を調整し、サーキュレーターで空気を循環させています。空調とこれらの機材を季節に合わせて設定し、自分達で温湿度管理をしています。こうした工夫によって、普通の教室でも作品管理ができるようになっています。

また私は美術館以外に学校法人桑沢学園の資料も管理しています。こちらは原宿サテライトオフィスに保管されていますので、そこの職員にも同様のチェック表と清掃計画を渡して、確認と清掃を行ってもらっています。日々の業務や作業をこなしながら、こうしたことを行うのは大変です。計画を決めて、毎日のルーティーンとして実行することが重要になります。

創立者資料のデジタル・アーカイブ

資料の保管では、現在、デジタル化が大きな動向になっています。本学でも、創立者である桑澤洋子の資料のデジタル・アーカイブを作成しています。本資料に含まれているものは、まず、桑澤洋子自身の資料、次に創立者の一人であるデザイナー金子至氏の資料、そして、学校設立に関する資料です。デジタル化の利点は、高精細な画像で資料の細かい部分をＰＣ画面上で見られることです。直接資料に触れずに済むので劣化防止になります。デジタル化することで一覧性が高くなり、検索も容易になります。活用の観点からすると、とても効果的といえます。

桑澤資料は当初、雑然と段ボールに入った状態で桑沢デザイン研究所の倉庫に置かれていました。二〇一七年時点で、倉庫の取り壊しが決まっていたので、まずは資料を大学に移動するところから始まりました。資料の種類は多岐に渡っており、衣装、写真、書籍と、本当に何でもありました。それぞれの資料にとって、どのような保存方法が適切なのかを専門業者と話し合いながら、整理の方針を立て、分類とデジタル化を進めていきました。整理はまず膨大な資料を書籍、写真、原稿、衣装とで大きく分類し、中性紙という資料に影響を与えない素材でできた封筒に資料を入れ直しました。資料を入れる際には一つずつ丁寧に汚れやカビを拭き取り、資料の質にあった保存用紙に包み、最終的には資料がぴったり入るように作った特注の箱に収めました。そして資料が正確に管理できるように、資料全てに登録番号をつけました。原宿サテライトオフィスが完成した後は、資料はそちらに移して作業を続けられました。

デジタル・アーカイブを作るため、続いて資料の撮影（デジタル化）を行いました。原稿などの平面資料は専門業者に依頼し、衣装などの立体資料は学内で三年かけて専門のカメラマンに撮影をしてもらいました。衣装を着せる作業と、どの角度で何枚撮るかを指定する必要があるため撮影には全て立ち合いました。美術館の一室をスタジオのようにセットして、マネキンを入れて、朝から晩まで撮影しました。

撮影は単に衣装を着せるだけではなく、しわが寄らないように、内側に詰め物をして、本来のかたちに見えるように注意して着付けします。書籍に掲載されている衣装は、その写真を参考にしました。店舗のディプレイのように、ファッション的に撮るのではなく、学術資料として撮りますので、資料の姿形が正確に見えることが大切になります。写真は三百六十度から見ることのできるように六カット撮りましたが、リバーシブルの衣服や、帽子、ケープ、スカートといった付属品がある場合には、それらを加えて追加撮影しました。人間の目よりもよく見える高精細カメラで撮っているので、ゴミが写らないように気をつける必要もありました。最後には衣装の部分をアップで撮影し、繊維の質感なども伝わるようにしました。こうした写真があれば、資料の素材がわかり、復元や再現する際にも役立ちます。

デジタル・アーカイブの公開

桑澤資料は、二〇一七年から整理が始まり、二〇二〇年三月よりデジタル・アーカイブとして公開されました。東京造形大学のホームページ（https://www.zokei.ac.jp/）の「デジタルコレクション」を開くと、桑澤洋子のページに進むことができます。充実した内容になっていますので、みなさんにも是非活用していただきたいと思います。また本学図書館の検索システムにも統合されていますので図書館の本と併せて調べることもできます。著作権の問題で、一部は非公開にしてありますが、桑澤洋子の著作権は学校法人桑沢学園が持っていますので、桑澤洋子の著作物のデータは全て公開しています。他の先生方が制作したものは文字情報のみが表示されるようになっています。他館や他大学にもデジタル・アーカイブを進めているところはたくさんありますそれぞれの大学や美術館の特色が出ていますので併せて調べてみてください。

デジタル・アーカイブにはメタ・データ（二次情報）を入力する必要があります。メタ・データというのは、作品のタイトル、読み仮名、制作年、サイズ、技法など作品に付随する細かい情報のことです。寄贈者名や関連書籍名、写真に写っている人など、資料に必要な情報を全て入力することで情報を取り扱いやすくしていくものです。

桑澤資料の場合のメタ・データの追加方法をご紹介します。

図2　オリンピックユニフォーム衣装合せ　1964年度（昭和39年）
左が桑澤洋子　他　学校法人桑沢学園蔵

こちらの衣装合わせをしている写真〔図2〕をご覧ください。写真本体には内容についての記載はありません。こういった場合は写真の中から情報を引き出していくことになります。左側は桑澤洋子ですが、右の人はわかりません。ただ、腕に国旗がついているので、オリンピック関連の仕事ではないかと思われます。桑澤洋子は一九六四年の東京オリンピックでユニフォームのデザインを担当していますので、その時のものではないかと推測できます。その前後の資料を調べていくと、同じ場所で撮られたと思われる写真〔図3〕が出てきます。写真をよく見ると、

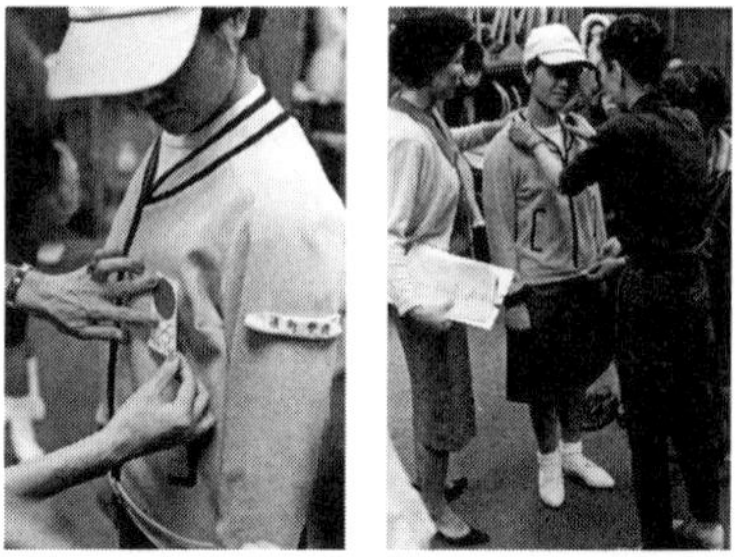

図3 左：オリンピックユニフォーム衣装合せ
1964年度（昭和39年） 学校法人桑沢学園蔵、
右：オリンピックユニフォーム衣装合せ
1964年度（昭和39年）
左端：大空淑子、右端：桑澤洋子
学校法人桑沢学園蔵

一九六四年のオリンピック・エンブレムが見えますのでオリンピックユニフォームの衣装合わせをしていることがわかってきます。またこちらの衣装に「場内整備」と入っているので、選手のユニフォームではなく、この場所を管理する人のものではないかと推測できます。このようにして調べた内容を追記していくのです。

本学の検索システムで仮に「桑澤洋子」と検索すると、東京造形大学の竣工パーティーの写真が出てきます。その写真の下の情報欄には、それがいつ、どこで撮られたもので、誰が写っているかという情報が入っています。これがメタ・データです。情報の収集と入力を行わなければ、データとしては物体名「写真」としか記載されません。メタ・データは資料の内容を深めるとても重要な役割をしています。資料の付随する情報を探し、少しずつ情報を肉づけしてゆくことで、資料をより使いやすくしていきます。資料は保存しているだけでは役立ちません。多くの人に利活用してもらうことでその価値を発揮できます。そのために資料の情報を深めて使いやすくすることも、資料保存に携わる学芸員の大切な仕事だと思います。アーカイブは短時間では完成しません。調べることを続けて情報を深めていくものです。当時の状況がわかる人も少なくなった現在、今後デジタル・アーカイブが活用されることが増えていくと思います。調査の継続が今後の課題の一つです。

コレクションの展示——高梨豊の人物写真から考える

藤井 匡

高梨豊写真のコレクション

東京造形大学の藤井匡です。大学では学芸員課程の授業などを担当していますが、その関係から、東京造形大学附属美術館の仕事にも携わってもいます。今日はその美術館コレクションの展示にまつわるはなしをしたいと思います。

附属美術館のコレクションはあまり数が多くはありません。はっきりいって少ない。ですが、その内には貴重なものも含まれています。たとえば、写真家・高梨豊のプリントです。五百枚以上を収蔵していますので、高梨作品のコレクションとしては最大規模のものとなります。高梨さんは、かつて、東京造形大学で教員を勤められていましたので、そうした縁で、これらの作品を寄贈いただいています。

これらの作品の一部は、二〇一七年に附属美術館で開催した展覧会『大辻清司 高梨豊─写真の「実験室」と「方法論」』で紹介を行いました。ただ、収蔵作品だということは、今度もまた繰り返して展示を行う機会があることになります。そのときに、どのような展示を考えるべきなのか。本日、はなしをするのは、そのシミュレーションといえるものです。

日本の公立美術館では、借用してきた作品による特別展とコレクション展示の二本立てで運営しているところが多いですね。後者についてですが、以前は「常設展示」という言葉を使うところが多かったのですが、最近は少なくなっている気がします。実際のところ、常に同じ作品を展示しているわけではありませんから。理由はいくつかあります。油絵やブロンズ彫刻は比較的大丈夫なのですが、紙や絹などを支持体とするものでは、作品の劣化に気を配る必要があります。また、掛け軸や屏風などは、本来は、季節ごとのイベントに関連して用いられるものでしたので、季節感も考慮して展示されるのが一般的です。さらに、鑑賞者の関心を集めるために、展示に新規性をもたせるといったこともあるでしょう。

最後の点に関することなのですが、コレクション展示の際にも、テーマ性をもたせることが増えてきています。特別展の場合と同じような考え方です。特別展を見に行くと、最初に「あいさつ」が掲げられていて、そのなかに展覧会のテーマが示されています。その後で、第一章、

第二章……と、本を読むのに近いかたちで全体が構成されている。個々の作品を見るだけでなく、展覧会全体も鑑賞できるようになっているのです。そうした形式がコレクション展示にも導入されているわけです。

ここでは、このような、テーマと結びつけて行うコレクション展示について考えゆきたいと思います。

撮影と歩行の速度から考える

展覧会『写真の「実験室」と「方法論」』は二人展でしたが、高梨作品については「撮影の速度歩行の速度」をキーワードとして設定しました。

「撮影の速度」は写真が示しているスピード感のことです。大判や中判のカメラを構えて、被写体の正面に立ち、画面の隅々までを均一的に描写した場合、時間性が見えてくることはほとんどありません。むしろ、時間の流れの外に存在する「永遠」が表わされているように見えます。他方、小型カメラによるスナップ的な撮影では、写真家の立ち合った「その時間」や「その場所」が明確に現れます。さらに、移動中の車窓から一瞬での撮影を行った場合には、スピード感がさらに強調されて見えることになります。

もうひとつの「歩行の速度」ですが、大判カメラに三脚をつけて歩くのと、小型カメラを首から下げて歩くのとでは、歩行の速度がちがってきます。公共交通機関を使うのか、自分で運転する自動車を使うのかでもちがってくる。撮影場所が東京か地方かでもちがいます。高梨さんの場合、こうした「歩行の速度」もシリーズ毎に使い分けています。

この展覧会では、こうした「速度」を遅い方から早い方へと並べました。そうすると、「プロヴォーク」時代のものを含む、一九七〇年前後の〈都市へ〉のシリーズが最後に来ることになります。発表された順番に並ぶわけではない。もっとも、年代順の展示を避けるために、あえてこうした展示方針を考えたところもあります。

二〇〇九年に東京国立近代美術館で高梨さんの大回顧展が開催されていますが、これは代表的な十五のシリーズを年代順に扱ったものでした。当然のことながら、年代順の展示は重要です。ちなみに、私が附属美術館で担当した二〇一五年の「成田克彦展」では年代順の展示を行いました。理由は、成田克彦の場合、過去にこうした回顧展が開催されたことがなかったからです。一九七〇年頃の「もの派」時代の作品は多くの展覧会に出品されていますが、その後の仕事も含めた検討が行われる機会はほとんどなかった。だとすれば、まずはオーソドックスに、発表された順番に見ていくべきだろうと考えたわけです。

しかしながら、そうした展示がすでに他所で行われている作家の場合には、ちがったアプローチをとりたくなります。そこで、テーマについて考える必要がでてくるわけです。展覧会ではありませんが、たとえば、写真評論家のタカザワケンジさんが編集した、高梨さんの書籍『ライカな眼』はカメラやレンズの問題に特化する方針を取っています。将来的に何度も展示することになるコレクションの展示では、とくに、テーマの設定が重要になると考えています。繰り返して見る人が、その都度、新しい発見ができるようにうながしたいということです。

附属美術館のコレクションですが、二〇一七年の展覧会のために新たなプリントをつくったのは〈都市へ〉の六点のみです。それ以外はすでに展示可能なサイズにプリントされていました。つまり、それらはすでに発表済みの作品なのです。ひとつの作品が異なった文脈で何度も展示されてゆく、そのことを通じて作品の歴史がつくられてゆくのではないかと思います。

近代美術館における展示方針

次に、こうした展示方針の歴史について考えてみたいと思います。特別展を基軸として活動する美術館は日本に多くありますが、その起源には、日本における近代美術館の成立がありま す。一九五一年に鎌倉近代美術館（神奈川県立近代美術館）、翌年に国立近代美術館（東京国立近代美術館）がオープンします。このときに、どのような方針で展示が行われたのか確認したいと思います。

まず、鎌倉近代美術館です。戦前期にすでにあった古美術を扱う博物館とは異なり、コレクションをほとんどもたずに出発したことが特徴です。必然的に、特別展を中心に運営を行うことになりますが、初期の展覧会を見てゆくと、個展あるいは二人展がとても多いことに気づきます。こうした方針は日本の近代美術史をどのようにつくってゆくかという問題意識に端を発していました。

実は、この段階でも、日本の近代美術史を語る方法がひとつありました。明治四十（一九〇七）年にはじまる「文部省美術展覧会」（文展）を中心に置く方法です。ここでの受賞作品は主催者である国に収蔵されていました。しかし、当時、鎌倉近代美術館の副館長だった土方定一はそれを踏襲するのではなく、美術館が新しい美術史をつくってゆくことを求めました。彼の言葉では、「近代的美術館としての近代的な芸術的判断と性格」をつくってゆくことです。そのためには、その基となる作品資料や文献資料の収集が不可欠です。特別展として行われた個展や二人展はそうした資料づくりの役割を担うものだったのです。そして、展覧会のための調査で新たに判明した作品をコレクションに加えることが継続して行われてゆくことになります。

他方、国立近代美術館は戦前の文展受賞作品を引き継ぐことになりました。とはいえ、その価値観に則って美術館を運営したわけではありません。これらの作品には、現在では重要文化財に指定されているものも含まれていますが、同時に、現在からはあまり評価に値しないようなものも含まれています。そのため、やはり、日本の近代美術史を新たに形成するための展覧会企画とコレクションづくりが行われてゆくことになります。

しかしながら、アプローチの方法は少しちがいます。現在とは異なるのですが、初期の展覧会では個展が少ない。個展の場合も、展覧会名に「遺作展」という言葉が入った、没後作家の展覧会にほぼ限定されています。現存作家の個展は一九七三年の彫刻家・平櫛田中の回顧展が最初になりますが、このとき、田中は百歳を超えていました。このあたりには、国立美術館と公立美術館の役割のちがいを見ることもできるでしょう。

その代わりに、毎年のように行われていたのが四人展という形式です。ただし、この四人はひとつのテーマに沿って選ばれているわけではありません。小さめの個展が四つセットになった展覧会と考えてよいと思います。ここには、全体でのバランスを考慮するという意識もあったのでしょうし、同時に、個々のアーティストの基礎資料を作成するという目的もあったのでしょう。

現在では、特定のテーマに沿った展覧会が数多く行われていますが、それは最初からできたわけではないのです。これまでの地道な調査と研究の積み重ねがあって、はじめて可能になったものなのです。

「方法論」では扱えない領域がある

それでは、今後に附属美術館で高梨豊の写真を展示するとすれば、どういったテーマが考えられるでしょうか。それは過去の展覧会でできなかったことの検討からはじまります。

二〇〇九年の東京国立近代美術館の展覧会も、二〇一七年の東京造形大学附属美術館の展覧会も、高梨豊の「方法論」を強く意識したものでした。高梨さんはシリーズごとに撮影の機材などを事前に決定してから、その枠組みのなかで撮影を行ってゆきます。これが「方法」というだけでなく、「論」となっていることが特徴となっている。実際、自身の言葉でも、個々の方法を論として語っています。作品を理解する上で、最初に重要視するべきなのがこの「方法論」なのです。

しかしながら、附属美術館のコレクションには、この「方法論」では扱えないものが含まれています。それが著名人のポートレートです。これらの写真は、元々、出版社等の依頼によって撮影されたものです。それぞれで求められるものがちがっていますので、これらは特定の「方法論」によって撮られたものとはいえないわけです。

こうした依頼仕事を高梨さん自身は「ジョブ」と呼び、作品として撮影する「ワーク」とは区別しています。ただし、そうした「ジョブ」のなかにも、結果的に「ワーク」として認められる写真が撮れることがある。附属美術館のコレクションに入っているのはそうしたものです。写真集としては一九七九年に『人像』、一九九〇年に『面目躍如』が発行されていますが、そこに収録されているものもありますし、収録されていないものもあります。収録されていないものであっても、なんらかの展覧会に出品するために引きのばれたものですから、すべて「ワーク」と考えて差し支えないものです。（なお、これらのプリントの裏面にはすべて高梨さんに鉛筆書きのサインを入れてもらっています。）

「方法論」という解釈枠に準拠するならば、これらの作品を扱うことができません。東京国立近代美術館での回顧展では都市風景の写真が中心を占めており、そこに、人物の写真として一九六四年の〈オツカレサマ〉と一九八八年の〈next〉という二つのシリーズが加えられています。シリーズという言葉を使いましたが、この二つは明確な「方法論」の下に撮影されたものです。同じ人物写真でも、扱えるものと扱えないものがあるのです。

附属美術館の展覧会では、「ジョブ」からの写真を六点展示しました。コレクションとしては、文筆家を被写体としたものが多いですが、スポーツ選手を写したものなども含めて、五十点以上があります。こうした「ジョブ」を導き手として、高梨作品の全体を考えるような展覧会ができないかと想像してみたりします。

それだけでなく、二〇一七年の附属美術館での展示では扱えなかった作品があります。「撮影の速度 歩行の速度」というキーワードを設定した場合、カラー写真をどのように組み込めばよいのか、わからなかったのです。コレクションのなかには、二〇〇〇年発表の〈interlude〉や、二〇〇四年発表の〈ノスタルジア〉といったカラー写真もあるのですが（ライカ同盟で発表された写真もカラーですね）、これらを位置づけるためには、前回とは別の枠組みが必要となるのです。

人のいる風景、風景のなかの人

「ジョブ」と呼ばれる写真から高梨豊の全体を考える、そのヒントは二〇〇〇年に附属美術館で行われた、高梨さんの退職記念展にあります。このときの展覧会テーマが「写真、人によって」でした。

出品されたのは、〈東京人〉、〈東京人一九七八—一九八三〉、〈初國〉、〈地名論〉という、都市を中心する風景を撮影した四つのシリーズです。このパンフレットのなかで、高梨さん本人によって、これらの写真における人の役割の重要性が語られています。〈東京人〉の場合はタイトルにも「人」という言葉が入っていますし、〈初國〉や〈地名論〉のシリーズでも、そのすべてではないですが、点景としての人物が重要な役割を果たしています。つまり、高梨さんの場合、都市風景の写真と人物の写真とは、別々のものとして切り分けられているのではなく、連続したものとしてとらえられているのです。

こうした都市と人との関係を考えるうえで興味深いのが、附属美術館のコレクションのなかにある〈東京散歩〉というシリーズです。元々は、リクルート社の『週刊住宅情報』に連載されたもので、その後、書籍『私だけの東京散歩』二冊にまとめられています。所蔵しているのは、九点のカラー・プリントを一枚のパネルに貼り合わせたもの五十六枚で、リクルート社による展覧会に際して作成されたものです。ただし、このときには、写真家はプリント作業には関与していないそうなので、その意味では、作品（一次資料）ではなく、参考資料（二次資料）として扱うべきものだと思います。それでも、このシリーズはいくつかのことを教えてくれます。

というのは、この五十六枚は、荒木経惟、飯田鉄、高梨豊という三人の写真家によって撮影されたものだからです。三人の写真家が与えられた同じテーマで撮影しているので、比較を行うことが容易なのです。この比較によって、高梨豊の人物写真の特徴を考えることができます。

荒木経惟と比較してみましょう。荒木の写真では、すべてではないですが、多くの場合、人物が風景のなかに入っている感じがします。写真の空間として、奥行きが深いのですね。道路があって、それが奥の方までずっと続いてゆくように撮られている。ルネサンス的な線遠近法の空間を想起させます。他方、高梨の写真では、空間の奥行きは浅く設定されている。道路が写される場合でも、それがある地点で遮蔽されている。そのために、人物とそれ以外のモチーフとが並置されているように見えることになります。こうした高梨作品の特徴は都市風景を撮影した写真にも見られます。

また、荒木の場合、モデルがカメラ目線で、鑑賞者を見返してくるものが多いことも指摘できます。ポートレートですから、そのように撮ることはめずらしくはないのかもしれませんが。それに対して、高梨の場合、カメラ目線を外しているのがほとんどです。モデルが周囲にある状況に没入している感じですね。これはスナップショットの感覚と結びついているように思います。

人物写真から風景写真を読む

空間が浅いこと、それと関連して、複数のモチーフが並列的に位置づけられること。これが高梨作品の特徴のひとつだとわかりましたが、そのことを具体的な「ジョブ」の作品に即して考えてみましょう。

まずは、マラソンランナーである有森裕子を撮影したもの［図1］です。中央に舟越桂さんの彫刻《動く水》（一九九三年）がありますので、場所は銀座の西村画廊でしょう。女性の彫像とダブルイメージに見えるように撮られています。この彫像は半身像で、下半身は鉄製の角パイプ一本で支えられているものです。その下半身のところにちょうどスカートが連続するようになっている。

もうひとつ、彫像の頭の真上に、背後の絵画の縁が重なるように撮られています。頭の「真上に」といいましたが、「後ろに」ではないのですね。本当は後ろにあるのですが、真上にあるように見

図1 高梨豊《有森裕子 マラソンランナー》1996年 東京造形大学附属美術館 所蔵

える。この印象には、この写真空間が浅いものに留められていることが関与しています。この写真では彫像の頭の真上ですが、人物の頭の真上に縦のラインが配置されるのは、高梨さんの肖像写真で繰り返し登場する構図です。

こうした写真の空間性は風景を写したものにも見られます。一九六〇年発表の〈SOMETHING ELSE〉以来のものといえます。ここでは、都市のなかにあるさまざまな事物が○や△や□といった抽象形態に還元されていますが、そのために、被写体と平行に立って撮ることが行われています。一九六六年発表の〈東京人〉になると、斜めの奥行きをもつ写真が多くなりますが、ここでも、空間性は比較的浅いものに留められている。都市風景の写真なのか、人物の写真なのか、ジャンルとしては分かれるのかもしれませんが、この観点からは、両者を連続したものとして理解することができます。

肖像として依頼された写真の場合、対象となる人物が中心的な存在となり、それ以外のものは周縁的な存在として扱われるのが普通といえるはずです。ところが、高梨さんはそういう撮り方をしていない。対象となる人物の他にも重要な役割を担う別のものがあって、両者の関係が写されている。この写真ではそれが彫像ですので、関係がはっきりとわかりますが、他の写真でも、人物以外のなにかとの関係を写しているものが多い。もっといえば、人物に加えて、もうひとつかふたつ、なにか別のものにも反応して撮っている。

　プロ野球選手の落合博満の写真［図2］では、野球場のスタンドにある看板が目につきますが、こうした文字に反応している作例は風景の写真にも多く見られます。〈都市へ〉のなかにもありますし、一九九二年発表の〈初國〉や二〇〇二年発表の〈WINDSCAPE〉にも多く見られます。また、落語家の古今亭志ん朝の写真［図3］では、発光している三ヶ所の光源が意識されます。こうした光への反応は一九八八年発表の〈都の貌〉のようなシリーズを生み出すことになったように思われますし、〈WINDSCAPE〉にある車窓のガラスの反射にもつながっているように思えます。反射ということでは〈ノスタルジア〉にもこの流れに位置づけることのできるものがあります。

　今日は具体的に検証する余裕がありませんでしたが、高梨豊作品を読解してゆく次の手がかりとして、こ

図2 高梨豊《落合博満 プロ野球選手》1985年
東京造形大学附属美術館 所蔵

図3 高梨豊《古今亭志ん朝 落語家》1986年
東京造形大学附属美術館 所蔵

れらの点に注目するのも面白いと思っています。機会があれば、そうした展覧会を考えてみたいと思います。

参考文献

高梨豊『われらの獲物は一滴の光』蒼洋社、一九八七年。

高梨豊（高沢賢治［編］）『ライカな眼』毎日コミュニケーションズ、二〇〇二年。

高梨記念展実行委員会［編］『東京造形大学退職記念写真講座展 高梨豊「写真、人によって」』東京造形大学美術館運営委員会、二〇〇〇年。

藤井匡［編著］『大辻清司　高梨豊　写真の「実験室」と「方法論」』東京造形大学研究報別冊15、二〇一九年。

増田玲　大谷省吾［編］『高梨豊 光のフィールドノート』東京国立近代美術館、二〇〇九年。

神奈川県立近代美術館［編］『小さな箱　鎌倉近代美術館の五十年　一九五一―二〇〇一』求龍堂、二〇〇一年。

『東京国立近代美術館六十年史　一九五二―二〇一二』東京国立近代美術館、二〇一二年。

緑の宝石箱・スイス美術館巡り

前田 朗

アルプスと氷河と湖と

スイスと言えばアルプス、氷河、湖です。アイガー、マッターホルンをはじめ聳える峰々の爽快さ。登山鉄道とケーブルに乗って銀白の世界へ。氷河特急やベルニナ特急の優雅な旅。レマン湖、ルツェルン湖、ヌシャテル湖の煌めき。ご当地ワインを味わいながら過ごす夕暮れは至福の時間です。

スイスと言えば緑の絨毯です。うねる様に広がる牧場の緑。無心に草を食む牧牛のカウベルが軽やかに響きます。木陰にハイジが佇んでいるかもしれません。

スイスと言えばミュージアムです。ジュネーヴの時計博物館、サンクロワのオルゴール博物館、ロモンのステンドグラス博物館、ローザンヌのオリンピック博物館、マイエンフェルトのハイジ記念館、ベルンのアインシュタイン・ハウス、チューリヒのル・コルビュジエ・センター、各都市の郷土史博物館や自然史博物館……指折り数えるとなかなか終わらないほどです。

私は国際人権法の研究をするためジュネーヴの国連人権機関に通ってきました。ジュネーヴにはかつて国際連盟本部が置かれたため国際機関が置かれています。国際連盟本部建物は国連欧州本部になり、町中には国連人権高等弁務官事務所、難民高等弁務官事務所、世界保健機関（WHO）、国際労働機関（ILO）、世界貿易機関（WTO）、赤十字国際委員会（ICRC）などの国際機関が集中しています。四半世紀の間に五十回以上通って国連人権機関で勉強し、週末には観光スポットを巡りました。アルプスや各地の湖、ジャズの聖地モントルー、温泉の町バーデン、水の塔のルツェルン、魔女の塔のシオン、猫の塔のフリブールを回りました。どの町にも素敵なミュージアムがあります。

スイス美術史は可能か？

二〇一三年度、サバティカル（有給研究休暇）の機会にスイスに長期滞在して、各地の町を再訪し美術館を見て歩き、何度も訪れた美術館を改めて満喫しました。二〇一四年度から教養演習の授業「スイスの美術館」を始めることにして、各地の美術館でカタログや絵葉書を購入しました。最初に考えたのは「スイス美術」という概念が成立するかどうかです。

第一にスイスの国民的画家としてアンカーやホドラーが知られます。ジャコメッティ一族には画家もいれば彫刻家もいます。ただキルヒナーやパウル・クレーはドイツ人です。アンジェリカ・カウフマンはオーストリア人。セガンティーニはイタリアから来ました。スイス生まれのヴァロットンはフランス国籍を取得しました。

第二に歴史的にスイス美術史を描くことが可能かどうかですが難点があります。スイスはフランス、イタリア、オーストリア、ドイツに囲まれた小さな国です。面積は日本の四国とほぼ同じ、人口は八百五十万人程度です。小さなスイスに「中心」がありません。首都はベルンですが、チューリヒ、バーゼル、ジュネーヴ、ローザンヌ、ヌシャテル、ルガーノといった具合に各都市が個性を発揮して競い合っています。パリ、ローマ、ウィーン、ミュンヘン、フランクフルト、ベルリンのような美術の中心地にはなりえません。

スイス美術史の可能性はアルプスを描いた山岳絵画だけのようです。アルプス登山が危険な冒険から観光に変容する過程で「山岳絵画」という独自のジャンルが登場しました。山を遠景から描くのではなく、登山家とともに山峡に分け入って描くようになったのです。ヴォルフ、カラム、ディデーが有名です。

チューリヒ近郊のムーリに生まれたカスパー・ヴォルフ（1735－83）はガイドブックのための山岳絵画に打ち込みました。バーゼル美術館やシオン美術館で作品を見ることができますが、故郷ムーリにカスパー・ヴォルフ美術館が新設されました。風景画家として知られるフランソワ・ディデー（1802－77）やアレクサンドル・カラム（カラーメ、1810－64）もジュネーヴ美術館やシオン美術館で見ることができます。

二十世紀に入ると山岳絵画という呼称は使われなくなりますが、アルプスを描いた画家は数多くいます。ホドラーとセガンティーニの画業はアルプス抜きに語ることができません。とはいえスイス美術史を貫くような共通性を見出すことは難しいようです。ホドラー、セガンティーニ、クレー、ジャコメッティ等の個性的なアーティストたちを、それぞれ鑑賞し、堪能すべきなのでしょう。

アルプスを生きる──セガンティーニ美術館

スイスにはアーティストの所縁の地に個人名を冠した素敵な美術館があります。セガンティーニ美術館、パウル・クレー・センター、キルヒナー美術館が代表です。

スイス東南部のグラウビュンデン州のサンモリッツはとびっきり有名なリゾート地です。サンモリッツ湖を見下ろす高台にセガンティーニ美術館があります。

オーストリアのアルコ（現イタリア）に生まれたジョヴァンニ・セガンティーニ（1858－99）は家族愛に恵まれず不遇の少年時代を過ごしましたが、地元の絵師に弟子入りして画家になりました。風景画や肖像画で生活費を稼ぎながら、やがて生涯のテーマとなるアルプスに専念するためにスイスのベルニナ地方やグラウビュンデン地方に移住しました。エンガディンの風景が見渡せるシャフベルクで《アルプス三部作》（一八八八／八九年）を制作中に亡くなりました。世紀末芸術の一人として知られ、耽美的幻想的作品も人気です。

セガンティーニ美術館［図1］はサンモリッツからシャフベルクを望む場所につくられました。一九〇〇年のパリ万博のためにセガンティーニが準備した展示会場のデザインを模した石造りのドーム型建物です。最上階のドームの内部にパリ万博に出品するはずだった《アルプス三部作》が展示されています。「生成（生）」「存在（自然）」「消滅（死）」をテーマとする三部作は縦一九〇センチ、横三二〇

図1 セガンティーニ美術館
Segantini Museum, St. Moritz Architekt: Nikolaus Hartmann Erbaut
FOTO FLURY

センチ（「存在（自然）」のみ四〇三センチ）ほどの作品ですが、ドーム内には三作品だけが置かれています。アルプスの山々とそこに生を営む人々の様子を描きこんだ三部作は、点描法を発展させたセガンティーニ独特の線描法と相俟って、穏やかな日常の背後にある激情と光の炸裂を画面に埋め込んでいます。二度しか行ったことがありませんが、平日の午前中、誰もいない時間にここでのんびり座っていると、生と死をめぐる想念で宇宙的時間の神秘を体験することができます。

限られた作品数の小さな美術館で、常設展が基本ですが、《アルプスの真昼》《湖を渡るアヴェ・マリア》《水を飲む茶色い雌牛》《生の天使》等も展示されています。

《アルプスの真昼》（一八九一年）は高原の水平線と佇む女性像に自然の永遠性を描きこんでいます。同名の《アルプスの真昼》（一八九二年、大原美術館）は二〇一一年に日本で開催されたセガンティーニ展のカタログ表紙に使われました。

《湖を渡るアヴェ・マリア》（一八八六年）は湖に浮かぶ小舟に幼子を抱いたマリアと押し合いへし合いする羊たちが乗っています。向こう岸には日没の光輪がまぶしく、教会の尖塔が屹立し、あたかも鐘の音が聞こえてくるような気がします。

さまよえる天使―パウル・クレー・センター

パウル・クレー（1879-1940）はスイスの首都ベルン郊外で生まれたドイツ人です。自宅はずっとベルンでした。画家修業もバウハウス以後の教授時代もドイツに暮らしましたが、最後はナチス・ドイツによる迫害のためスイスに戻りました。

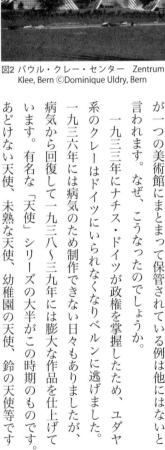

クレーは若い時代から自分の作品に作品番号を付けて管理していたので、作品数が正確に判明しています。生涯に約九千点の作品を制作しましたが、そのうち四千点がベルンのパウル・クレー・センター所蔵です［図2］。これほど有名な画家の作品が一つの美術館にまとまって保管されている例は他にはないと言われます。なぜ、こうなったのでしょうか。

図2 パウル・クレー・センター　Zentrum Paul Klee, Bern ©Dominique Uldry, Bern

一九三三年にナチス・ドイツが政権を掌握したため、ユダヤ系のクレーはドイツにいられなくなりベルンに逃げました。一九三六年には病気のため制作できない日々もありましたが、病気から回復して一九三八～三九年には膨大な作品を仕上げています。有名な「天使」シリーズの大半がこの時期のものです。あどけない天使、未熟な天使、幼稚園の天使、鈴の天使等ですが、「この世では私を捕まえることができない」という有名な言葉――この言葉はセンター近くにあるクレーの墓に刻まれています――や、同時代の《さまよえる幽霊》などの作品から容易にわかることは、クレーの思考はこの世とあの世を行きつ戻りつしていたであろうことです。この世とあの世を往還する天使に思いを託し、ナチス・ドイツの「退廃芸術展」で笑いモノにされ自宅を家宅捜索され、迫害に身をさらしながらスイスに逃げました。病魔に侵されながら、クレーはあの戦争の時代を生きて、自らの精神世界を守り抜こうとしたのです。

戦争と迫害のため作品が売れなかった時期、クレーは子どもたちに作品を手元に保管しておくように言い残しました。来るべき曙光の時代を見通して、クレーは眼を閉ざしていたのです。「絵画とは目に見えないものを見えるようにすることだ」と主張したクレーの、瞑想するかのような静かな表情の自画像は目をしっかりと閉じています。

長男のフィリップが遺言を守り抜いたため、第二次大戦後、クレーの子どもたちの手元には膨大な作品が遺されました。長い間、ベルン美術館蔵と個人蔵だった膨大な作品群は、二〇〇五年、新設のパウル・クレー・センターに寄贈されました。こうして私たちは現在、四千点の作品を擁するセンターでクレーの世界を満喫できるのです。私は開館以来毎年二〜三回は訪れています。というのも、大きな展示室が二つあって、頻繁に企画展を開催しているからです。コンサートホールや子ども美術学校もあります。

センターにはクレーの代表作がずらりと展示されています。「シュルレアリスムとクレー」「ピカソとクレー」「マルクとクレー」といった様々なテーマの企画展が開かれてきました。

センターにはクレーが息子フィリップのためにつくった指人形が多数残されています。画家として発表するための作品ではありませんが、今ではクレーの代表的な造形物として人気を博し、世界を巡回しています。

死の祝祭パレードーバーゼル美術館

個人名を冠した美術館と違って、自治体が設置した美術館の多くは、西洋美術史を飾るアーティストの作品と、スイスやオーストリアなど地元アーティストの作品を多数保有しています。地域の歴史や民芸品を中心にした歴史美術館も珍しくありません。

著書『パウル・クレーとシュルレアリスム』(水声社)と『越境する天使パウル・クレー』(春秋社)でパウル・クレー研究の水準を大幅に引き上げた美術史家・宮下誠は『逸脱する絵画―二十世紀芸術学講義Ⅰ』(法律文化社)でバーゼル美術館の作品群を画像解釈してみせました。

バーゼルはスイス最北の街です。フランス、ドイツ、スイスの国境の町で、それぞれの鉄道駅があります。大型船舶が通航できるライン川最上流の港があり、最終遡行地点とされます。ドイツ南西部、フランス東南部、スイス北部を結ぶ交通の要衝で古くから商業が栄えました。死の祝祭パレードや、五百年続く秋季市もあれば、新しくはバーゼル・フェア（宝飾品・時計見本市）やアート・バーゼル（アート・フェア）も知られます。

指折りのミュージアムの町でバーゼル市立美術館、現代美術館、バイエラー財団美術館、ティンゲリー美術館、漫画博物館、考古学博物館、自然史博物館、楽器博物館など、大いに楽しめますが時間がいくらあっても足りません。

バーゼル市立美術館は一六七一年開館という世界でも有数の歴史を持つ美術館です。十五〜十七世紀にかけてのハンス・ホルバイン、コンラート・ヴィッツ、ハンス・メムリンク、ハンス・バルドゥング、ルーカス・クラナハ、エル・グレコなどを所蔵します。近代絵画ではドラクロワ、ドガ、セザンヌ、モネ、ファン・ゴッホ、ゴーギャン、ルソー、ベックリン、セガンティーニ、クリムト、シャガール、エゴン・シーレ、マルク、クレー、ピカソなど豊富な所蔵品に恵まれています。宮下誠が「二十世紀芸術学講義」を構想したのも納得です。

ハンス・ホルバイン（1497/98−1543）の《ボニファシウス・アメルバハの肖像》（一五一九年）はホルバインを支援したアメルバハ家の一員の肖像画で、《ロッテルダムのエラスムスの肖像》

（一五二三年）とともにバーゼル美術館の基礎を成した傑作です。

アルノルト・ベックリン（1827－1910）の《死の島》（一八八〇年）は四バージョンあると言われるベックリンの代表作の一つで、世紀末芸術の最高傑作と言われます。死やペストや戦争を題材とした冥暗の幻想世界を描いたベックリンはヒトラーに愛好されたことで知られ、政治的にマイナス・イメージが強いかもしれませんが、それはベックリンのせいではありません。バーゼル美術館とベルン美術館でベックリンの素顔を堪能することをお勧めします。

ダダとジャコメッティ一族―チューリヒ美術館

国際金融都市として知られるチューリヒはスイス最大の町です。リマト川がチューリヒ湖に流れ込む地に発展し、ランドマークはリマト川の両側に向かい合って建立されたグロスミュンスター（大聖堂）とフラオミュンスターです。ともに九世紀に遡る教会です。フラオミュンスターのステンドグラスはマルク・シャガール、グロスミュンスターのステンドグラスはアウグスト・ジャコメッティの手によるもので大人気です。

スイス国立博物館、ル・コルビュジエ・センター、デザイン美術館、建築博物館、ベイヤー時計博物館、ギルドハウス、トラム博物館など観光スポットが数多くあり、チューリヒ美術館も美術史に名が刻まれた美術館です。近代美術の数々の名作を所蔵するとともに、写真の豊富なライブラリーが知られます。

何よりもチューリヒ・ダダとして知られるダダイズム発祥の地です。グロスミュンスターの足元にあるキャバレー・ヴォルテールは一九一六年、「ダダ、ダダ、ダダ！」という叫びとともに新しい芸術の拠点となりました。トリスタン・ツァラ（詩人）、ハンス・アルプ（画家）、ゾフィー・トイバー（画家）、フーゴー・バル（ドイツの文学者）、エミー・ヘニングス（詩人）たちが「ダダ」を合言葉に朗読会や音楽祭を開催し、狂乱のパフォーマンスを繰り広げました。パリではルイ・アラゴンが活躍し、ミュンヘンにもダダが押し寄せました。シュルレアリスム、ポップ・アート、フルクサス、メール・アート、パンクなど、その時代ごとの前衛芸術が展開しましたが、前衛芸術の始まりがチューリヒでした。

二〇一六年、チューリヒ・ダダ百周年の記念展が開催され、キャバレー・ヴォルテールは世界中のアーティストと観光客の喧騒に包まれました。あまりの人出のため、私は三度も行ったのに入場できませんでした。翌年訪れた時にようやく入場して珈琲を味わってきました。

アルベルト・ジャコメッティ（1901−66）はグラウビュンデン州マローヤの出身で、ジャコメッティ一族は芸術家一族です。一九二〇年代、シュルレアリスムの影響をうけた彫刻家として活躍しましたが、第二次大戦後、独自の作風を切り開きました。極端にデフォルメされた細長い人物像が現代における人間の実存を表現したものと言われます。《立つ女》（一九四八年）、《森》（一九五〇年）など多くの立像の中でも飛び切り有名なのが旧百スイス・フラン紙幣に使われた《歩く人》（一九六〇年）で、チューリヒ美術館所蔵です。彫刻家ディエゴ・ジャコメッティ（1902–85）と建築家ブルーノ・ジャコメッティ（1907–2012）は弟です。

ジョヴァンニ・ジャコメッティ（1868–1933）はアルベルトの父親で、従兄弟のアウグストとともに印象派の影響を受けた画家として知られます。ジョヴァンニはセガンティーニと親交があり、《セガンティーニの死顔》（一八九九年）を描いています。ジョヴァンニもアウグストもジュネーヴ美術館やチューリヒ美術館で見ることができます。

アウグスト・ジャコメッティ（1877–1947）も画家として活躍し、ダダイズム運動にも参加しました。装飾画やステンドグラス製作者としても知られ、チューリヒ美術館では《夜》（一九〇三年）、《色彩のファンタジー》（一九一四年）をはじめ代表作を見ることができます。

マルチェッロを探して

二〇一九年三月、フリブールのマルチェッロを訪ねました。マルチェッロは欧米で近年再評価されている女性彫刻家ですが、日本ではまだ知られていません。

フリブールはサリーヌ河が地面を掘り下げていった谷に向かって下る斜面につくられた町です。かつての町並み、旧市街は坂道だらけ。ローザンヌ通りの商店街を過ぎると小さな広場に出ます。目の前が州庁舎です。左手に回ってモラ通りに出ると、ジャン・ティンゲリーとニキ・ド・サンファル記念館があります。グーテンベルク博物館を素通りして美術館に向かいました。

フリブール美術館は旧館と新館の二つから成ります。旧館は歴史博物館で、十二〜十五世紀の地元の絵画と彫刻が多数置かれています。多くが宗教画と彫刻で、聖母マリア、キリスト、聖人たちを描いています。十五〜十七世紀のステンドグラスも素敵です。啓蒙時代頃の衣類、家具、食器、宝飾品なども展示されています。新館は美術館で、近代絵画もホドラーやピカソが数点あるほか、地元の画家の作品をそろえています。そしてマルチェッロ作の大理石像がずらりと並んでいます。

マルチェッロ（マルセロ、1836–79）は本名がアデレ・ダフリーといい、フリブールで生まれました。スイス衛兵の軍人一族で外交官を輩出し、祖父はスイス代表としてナポレオンと外交交渉をした人物でした。フリブール駅の北の通りにルイ・ダフリー通りと命名されています。街の中心部、フリブール市大通り五十八番地にはアデレが生まれた自宅がいまも残っています。
一八五六年、アデレはナポリの宮廷で出会ったカルロ・コロナと結婚しましたが、一年もたたずにカルロが亡くなりました。

一八五七年、アデレは彫刻に専念することに決めてローマに戻り、イムホフに学びました。ローマ、ニース、フリブールを行き来し、一八五九年、パリに出ました。ドラクロワやベルト・モリゾらとの交友が始まり、パリ社交界で活躍します。一八六一年、ブロンズの《美しいヘレン》が評判を博す出世作となり、帝国美術学校入りを希望しましたが、男性限定という理由から拒否されました。そこで男性名マルチェッロを名乗りました。数年間、アカデミーに認められて男性名で出品を続けた稀有の女性アーティストです。豪華な室内装飾家としても活躍しましたが、四十三歳で亡くなりました。

マルチェッロは重厚な大理石像を得意とし、フリブール美術館にも多数所蔵されていますが、代表作《ピティエ》（一八八〇年、オペラ・ガルニエ）は繊細でしなやかな女性のブロンズ像です。

マルチェッロの名を冠した通りがあるというので地図を頼りに探しました。マルチェッロ通りは鉄道添いの北通りと新庁舎を結ぶ通りで、住宅地にあります［図3］。はずれに幼稚園があり、壁には楽しい絵が描かれ子ども達が遊んでいました。通りの長さは百メートルあるかどうか。

図3 マルチェッロ通り

小さな通りですが、「彫刻家のマルチェッロ通り」というプレートが掛けられています。

スイスの女性アーティストとしては、クール生まれのオーストリア人アンジェリカ・カウフマン（1741–1807）、ヌシャテルで活躍したジャンヌ・ロンバール（1865–1945）、ローザンヌ出身のアリス・ベイリー（1872–1938）、ヴァレー州シオンのマルゲリーテ・ブルナ・プロヴァン（1872–1952）、チューリヒ・ダダのゾフィー・トイバー・アルプ（1889–1943）等が重要です。男性中心主義の西洋美術史を少し斜め横から見直してみてはいかがでしょうか。

あとがき

藤井　匡

本書は二〇二〇年度に東京造形大学学芸員課程の授業で行ったゲストレクチャーの内容を文章化したものに、数本の書き下ろしを加えたものである。

これまでにもゲスト講義を行ったことはあったのだが、ここまで集中的に実施したのはこれがはじめてである。理由はコロナ禍。大学の多くの授業がオンラインで行われることになり、学芸員課程の授業もそれに準じることになった。最大の問題は博物館実習である。例年、東京造形大学附属美術館においても四年生の実習を受け入れてきたのだが、美術館以前に、大学そのものに学生が入構できるようになるのかどうか不明な状況が続いていた。代替となるプログラムを考えなければならなくなったとき、普段から美術館の現場にかかわっている学芸員やアーティストの方々に、その現場のはなしを語ってもらうことを思いついた。

この思いつきは、ほぼ同時に、次のようなアイデアを導く。

まず、その授業内容の書籍化である。せっかく収録を行うのであれば、のちのちにも、授業の参考図書として使えるようにしたいと考えた。これまでにゲストレクチャーを実施した際には、それを書籍にするという発想が私にはまったくなかった（講義の収録も行っていない）。オンライン授業が新たなアイデアを導いたことになる。

そして、登壇いただく美術館学芸員はすべて東京造形大学の卒業生にお願いをすることにした。学生たちに卒業生の活躍を知ってもらいたかったことと、その活動を記録として残したいと思ったことが理由である。それぞれの美術館も非常事態のなかで大変な思いをしていることは察している。それにもかかわらず、ゲスト講師を快く引き受けていただいた（さらに、本書の原稿チェックもお願いした）みなさまに改めてお礼を申し上げたい。

本書にはそれぞれの立場から語られたリアルな言葉が集められている。現在の日本の美術館はさまざまな問題を抱えており、さらに、コロナ禍は今後の予算の縮小といった問題も引き起こすことになるはずである。そのなかで刊行される本書には、日本のこれからの美術館のあり方を考えるヒントが含まれていると思っている。

本書の編集にかんしては前沢知子氏に、音声データを文字変換する作業には三芳日向子氏にサポートをいただいた。また、ゲストレクチャーの実施に際しては教務課職員の方々に、東京造形大学附属美術館の監修については美術館委員会の先生方と学術交流課職員の方々にご配慮をいただいた。出版に際しては、風人社の小菅めぐみ氏にご尽力いただいた。深く感謝する。

出版にあたっては、二〇二一年度東京造形大学教育研究助成金の助成を受けた。

菅章（すが　あきら）
大分市美術館館長、国際美術評論家連盟会員。美術館連絡協議会理事、全国美術館会議理事。現代美術の展覧会やアートプロジェクトに携わる。著書に『美術鑑賞宣言―学校と美術館』（日本文教出版、2003年：共編著）など。

伊藤幸穂（いとう　さちほ）
岐阜県生まれ（旧姓松野）。東京造形大学卒業。信州大学大学院修了。1997年より駒ヶ根高原美術館、木曽路美術館に学芸員として勤務。2014年より木曽町教育委員会に学芸員として勤務（会計年度任用職員）。

正田淳（しょうだ　じゅん）
公益財団法人大川美術館事務局次長。東京造形大学美術学科比較造形専攻卒業。大川美術館に学芸員として入職、のちに事務局に異動。主な担当展覧会に「欧州版画の一断面」（2000年）、「テキスタイル・プランナー 新井淳一の仕事」（2020年）など。

岡村幸宣（おかむら　ゆきのり）
原爆の図丸木美術館学芸員・専務理事。「原爆の図」を中心に、社会と芸術の関わりについての研究、展覧会企画などを行っている。著書に『未来へ 原爆の図丸木美術館学芸員作業日誌2011-2016』（新宿書房、2020年）など。

門馬英美（もんま　ひでみ）
東京造形大学附属美術館学芸員。公立美術館や大学博物館の勤務を経て2016年より現職。専門は版画と教育普及。

藤井匡（ふじい　ただす）
美術評論家、キュレーター、東京造形大学教授。山口県宇部市で学芸員として野外彫刻展などを担当したのち、日本各地の展覧会やアートプロジェクトに携わる。著書に『ミニマリズム後の人間彫刻』(阿部出版、2021年) など。

前田朗（まえだ　あきら）
東京造形大学名誉教授、朝鮮大学校講師。専門は国際人権法。主著に『ヘイト・スピーチ法研究序説』（三一書房）『パロディのパロディ―井上ひさし再入門』（耕文社）、編著に『美術家・デザイナーになるまで』（彩流社）。

著者略歴（執筆順）

淺沼塁（あさぬま　るい）
八王子市夢美術館学芸員。東京造形大学美術学科比較造形専攻卒。桑沢デザイン研究所SDコース卒。画廊勤務を経て2003年より現職。同館でアニメやマンガ、絵本、建築、洋画、版画など幅広いジャンルの展覧会を40本以上担当している。

水田紗弥子（みずた　さやこ）
キュレーター。2015年より東京造形大学非常勤講師。2014年株式会社Little Barrelを設立し展覧会、フェスティバル、アートアワードなどの企画・運営、コーディネートに携わる。企画した展覧会に「もの・かたり—手繰りよせることばを超えて—」（代官山ヒルサイドフォーラム、2019年）、「Alterspace—変化する、仮設のアート・スペース」（アサヒ・アートスクエア、2014年）など。

末永史尚（すえなが　ふみなお）
1974年山口県生まれ、東京都在住。美術家。日常的に目にする物や、美術作品をとりまく状況や空間に目を向け、その視覚的なトピックをもとにした絵画・立体作品を制作している。

池上英洋（いけがみ　ひでひろ）
美術史家、東京造形大学教授。専門はイタリアを中心とした西洋美術史・文化史。著書に『レオナルド・ダ・ヴィンチ 生涯と芸術のすべて』（筑摩書房、2019年、第4回フォスコ・マライーニ賞）など。

滝川おりえ（たきがわ　おりえ）
富山県美術館エデュケーター。2012年東京造形大学大学院（絵画）修了。兵庫県立美術館ミュージアムティーチャー、アートラボはしもと美術専門員を経て、2016年、富山県立近代美術館に入職。美術館教育活動、及びアトリエプログラムを主に担当する。

中里和人（なかざと　かつひと）
1956年三重県生まれ。写真家。東京造形大学教授。日本各地の地誌的ドキュメントを中心に、身体的スケールから見えるランドスケープ作品を発表。大地の芸術祭などのアートイベントで、地域特性を読み込んだ写真インスタレーションやワークショップを多数行う。

前沢知子（まえざわ　ともこ）
美術家、Tomoko Maezawa Studio代表、世田谷区文化芸術振興計画検討委員。作品発表に加え、横浜国立大学大学院、東京学芸大学大学院博士課程で研究も行う。ダイムラー・クライスラー・グループ「アート・スコープ」グランプリ受賞。文部科学省「青少年の体験活動推進企業表彰」奨励賞。

美術館を語る

2021年11月24日　初版第1刷発行
2022年11月7日　　　　第2刷発行

著　者　東京造形大学附属美術館［監修］　藤井匡［編集］

発行所　株式会社　風人社
〒201-0005　東京都狛江市岩戸南1-2-6-704
TEL　03-5761-7941
FAX　03-5761-7942
ホームページ　https: // www. fujinsha. co. jp

印　刷　シナノ印刷

ISBN 978-4-938643-98-0 C0070